CUISINE
RÉCONFORTANTE

éditions
les malins

Dominique Plamondon

© Les éditions Lesmalins inc.

info@lesmalins.ca

Éditeur : Marc-André Audet
Conception graphique et montage : Scanacom Graphique
Photographies : André Rozon, Headlight
Recettes : © Les Éditions Goélette inc.

Dépôt légal – Bibliothèque et Archives nationales du Québec, 2008
Dépôt légal – Bibliothèque et Archives Canada, 2008

ISBN: 978-2-89657-006-5

Imprimé en Chine

Les éditions Les Malins
5372, 3ème Avenue
Montréal, Québec
H1Y 2W5

Table des matières

Introduction 5

Quelques aliments de base : trucs et conseils 6

Les ustensiles 9

Comment faire... 10

Les soupes 11

Les plats végétariens 21

L'agneau 38

Le boeuf 75

Le veau 106

Le porc 132

La volaille 158

Le lapin 190

Lexique 194

Index..195

L'éloge de la lenteur

**Les plats mijotés embaument
les maisons et rapprochent les gens...**

C'est la fête dans la cuisine ! L'un émince les oignons, l'autre épluche les carottes, l'une blanchit les tomates, l'autre découpe la viande en morceaux... Quand tous les ingrédients sont dans la cocotte, tout le monde déménage au salon ou sur la terrasse pour attendre que le temps fasse son oeuvre... Les conversations vont bon train, les rires fusent. Les effluves qui viennent chatouiller les narines sont de plus en plus alléchants. Les appétits se creusent... Enfin, voici venu le moment de soulever le couvercle magique qui enfermait toutes ces saveurs. À table !

Dans un monde où tout va de plus en plus vite, il est grand temps de faire l'éloge de la lenteur... Cuire les ingrédients longuement, à petit feu, est la garantie d'obtenir un mélange de saveurs subtile. Les recettes de nos grand-mères ? Oui, mais adaptées au goût du jour ! De bons petits plats qui embaument la maison durant des heures, quoi de plus réconfortant ?

Vous retrouverez dans ces pages les grands classiques de la cuisine française, mais vous y découvrirez aussi des plats aux arômes du monde entier. Des recettes faciles et des explications claires qui permettront à ceux qui pensent ne pas savoir faire cuire un oeuf de se transformer en véritables cordons bleus!

Ce livre vous prend par la main pour vous accompagner dans une aventure culinaire joyeuse et conviviale.

Bon appétit !

Quelques aliments de base : trucs et conseils

**Oignons, ail, tomates, beurre, huile...
Des aliments de base qu'on a sous la main
ou pas bien loin, mais que l'on connaît peut-
être mal... Comment reconnaître les
meilleurs bulbes d'ail ? Combien de temps
conserver l'huile ? Comment préparer les
pommes de terre pour optimiser leur
saveur ? Voici quelques conseils pour rendre vos petits plats encore plus délicieux !**

Ail

Plante à bulbe très parfumée, qui entre dans la composition
de pratiquement toutes les recettes de ce livre ! Comment le
choisir ? Les bulbes doivent être bien secs, fermes, lourds,
non germés ; les gousses doivent être petites (car elles sont
plus parfumées), bien serrées, sans meurtrissures. Comment
le conserver ? Dans un endroit frais, car les gousses doivent
respirer : étalez-les à plat ou suspendez-les. Vous pouvez les
garder jusqu'à six mois. Quand on fait cuire l'ail avec sa peau,
on dit qu'on le fait cuire « en chemise ». Il faut faire attention
car l'ail devient âcre quand on le fait trop rissoler.

Beurre

Idéal pour poêler, sauter et rôtir. Un truc : pour éviter de vous
brûler, mettez dans la poêle une pincée de sel avant d'y faire
fondre le beurre. Ainsi, lorsqu'il grésillera, il ne fera pas de
projectiles. Conservez-le au réfrigérateur, dans un contenant
ou dans un compartiment hermétique, car il est perméable
aux odeurs. Dans les recettes, utilisez de préférence du
beurre non salé.

Huile

Matière grasse extraite de graines, de noix, de fruits. Nous
proposons l'huile d'olive dans la plupart de nos recettes, pour
son parfum fruité. Choisissez-la extra vierge, de première
pression à froid. Elle ne devrait être ni trop claire (si elle est
transparente, cela signifie qu'elle a été raffinée), ni trop foncée (ce qui signifie qu'elle a été préchauffée ou pressée à
haute température). Une bouteille en verre opaque préserve
l'huile de la lumière. Pour des plats qui appellent une huile
moins parfumée, nous optons pour l'huile de canola.

Toutes les huiles, sauf l'huile de lin, se conservent à température ambiante, dans un endroit frais, sec et sombre. Vous
pouvez les garder jusqu'à un an, avant ouverture. Attention :
ne laissez jamais fumer votre huile, elle deviendrait can-
cérigène !

Oignons

Plante potagère au bulbe parfumé, qui joue un rôle primor-
dial en cuisine ! L'oignon blanc n'a pas de peau (le choisir
ferme et bien lisse, avec une tige bien verte), le jaune et le
rouge ont une pelure fine et cassante. L'oignon blanc ne se
conserve pas plus d'une semaine au réfrigérateur. Conservez
les oignons jaunes et rouges dans un endroit sec et sombre,
pour éviter de les voir germer ou moisir. Les oignons rouges
se mangent de préférence crus, car une fois cuits ils sont plus
fades que les autres. Truc : pour les éplucher facilement, laissez-les 10 minutes au congélateur. Pour les petits oignons
grelots : faites-les blanchir une minute pour que leur pelure
s'enlève plus facilement. Une fois épluchés, consommez les
oignons rapidement, avant qu'ils ne s'oxydent.

Pommes de terre

Tubercule entrant dans la préparation de nombreuses recettes de ce livre, comme accompagnement ou comme élément principal. Comment les choisir ? La peau doit être lisse, sans meurtrissures, sans « yeux », fermes, elles ne doivent être ni germées ni verdies (la lumière les fait verdir : elle deviennent alors toxiques). Comment les préparer ? Lavez une première fois la pomme de terre, pelez-la puis lavez-la de nouveau. Pour éviter qu'elle ne brunisse une fois pelée, plongez-la dans un bol d'eau froide. Comment les conserver ? Ne mettez pas vos pommes de terre dans le réfrigérateur, car une température trop basse leur donne un goût sucré. Préférez plutôt un endroit sombre, sec et frais, comme un garde-manger.

Sel

Condiment auquel on pourrait consacrer un ouvrage entier ! Deux sortes de sel existent : le sel marin, que l'on produit par évaporation d'eau de mer, et le sel gemme, que l'on récolte dans des mines. Le gros sel est utilisé pour les eaux de cuisson et pour les marinades, par exemple. On utilise le sel de cuisine et le sel fin (ou sel de table) pour assaisonner nos plats. On le conserve dans une boîte à couvercle, protégé de l'humidité. Aujourd'hui, toutes sortes de variétés de sel sont disponibles : sel rose de l'Himalaya, sel bleu de Gozo, ou tout simplement blanc comme la fleur de sel de Guérande ou comme le remarquable Maldon sea salt... Il faut tous les goûter pour découvrir son préféré !

Le poivre

Le poivre vient d'une plante originaire d'Inde, le poivrier.

Les différentes variétés de poivre n'en forment qu'une, récoltée à des stades de maturation et de coloration différents.

- *Poivre noir :* baie récoltée rouge et qui, une fois séchée, devient noire. C'est le plus piquant de tous les poivres.

- *Poivre vert :* cueilli bien avant maturité, il peut être vendu séché, conservé dans du vinaigre ou de la saumure. Il est plus fruité et moins piquant que le noir.

- *Poivre blanc :* baie rouge dont on a retiré l'écorce par triturage à l'eau salée avant de la sécher. Il est plus doux et ne colore pas les plats.

Toutes les recettes de ce livre demandent du poivre noir. Il est toujours possible de le remplacer par du poivre blanc, en particulier dans les recettes à base de béchamel, si on veut qu'il soit plus discret, mais jamais par du poivre vert, qui a un goût trop fruité pour le boeuf bourguignon, par exemple.

Tomates

On adore les tomates ! Elles égayent nos assiettes de leur belle couleur, elles rappellent la belle saison… Elles sont indispensables ! Elles sont riches en vitamines A et C et saviez-vous que les tomates aident à prévenir certains cancers (dont celui de la prostate, quand elle est consommée cuite) grâce à leur oligoéléments ? Bien sûr, rien ne vaut les tomates d'été. Recherchez les tomates biologiques et les variétés anciennes que l'on recommence à trouver sur le marché. Elles sont souvent moins belles, moins rondes, mais elles ont beaucoup plus de goût. Choisissez-les fermes, charnues, luisantes, sans rides ni crevasses. Comment les conserver ? À température ambiante, car elles supportent mal des températures inférieures à 15 °C. Lorsqu'elles ne sont pas suffisamment mûres, mettez-les dans un sac de papier ou, mieux, sur le bord de la fenêtre au soleil. Pour les utiliser dans les plats, mieux vaut les peler et les épépiner. Pour ce, entaillez la peau d'une croix. Faites attention de ne pas percer la chair. Plongez-les dans l'eau bouillante pendant 2 minutes. Ensuite, passez-les sous l'eau froide. La peau s'enlèvera presque toute seule ! Ensuite, coupez-les en deux et pressez-les doucement afin d'en faire sortir l'eau de végétation et les pépins.

Moutarde

La moutarde est un crucifère (comme le chou, le brocoli ou le radis). C'est aujourd'hui un condiment, mais elle fut longtemps consommée pour ses feuilles, en salade. Il existe une quarantaine d'espèces de moutarde. Les plus communes sont la noire, la blanche et la brune. C'est la brune qui est généralement utilisée dans l'industrie. La recette de la moutarde de Dijon est d'appellation contrôlée depuis 1937. C'est le verjus, un suc extrait de raisins non mûrs, qui a la propriété de développer son piquant. La moutarde (en particulier celle de Dijon) entre dans la confection des sauces, des mayonnaises et des vinaigrettes.

Légumineuses

Les légumineuses se conservent très longtemps à l'abri de la chaleur, de la lumière et de l'humidité. Il faut les faire tremper (sauf les lentilles et les pois cassés) 12 heures dans l'eau froide (3 tasses d'eau pour une tasse de légumineuses). Lorsque vient le temps de les faire cuire, il faut les rincer puis les mettre à cuire dans l'eau froide. Porter à ébullition, couvrir et faire mijoter à feu doux jusqu'à ce qu'elles soient tendres (elles doivent s'écraser facilement à la fourchette). Il faut bien les égoutter avant de les utiliser. On peut les conserver au réfrigérateur dans un contenant hermétique pendant quatre ou cinq jours et jusqu'à six mois au congélateur. Si l'on utilise des légumineuses en conserve, il est préférable de les rincer pour enlever le sel.

Les ustensiles

Pour préparer les recettes de ce livre, pas besoin de rééquiper votre cuisine ! Même s'il est préférable d'avoir une cocotte en fonte émaillée, une casserole à fond épais pourra faire l'affaire. Quant à la mijoteuse, elle est pratique car vous pouvez l'oublier et vaquer à vos occupations puisqu'elle est programmable et s'arrêtera toute seule. Mais vous pouvez toujours adapter les recettes pour un mode cuisson conventionnel : elles prendront moins de temps à cuire, mais il faudra les surveiller.

Cocotte

En fonte émaillée, elle passe avec élégance de la cuisine à la table.

Poêles et casseroles

Choisissez-les avec un fond épais pour une distribution égale de la chaleur et avec un manche qui puisse passer de la surface de cuisson au four.

Ayez au moins trois formats : 1 L, 1.8 L et 5 L (casseroles) et 20 cm, 28 cm et 32 cm (poêles).

Mijoteuse

Un appareil à cuisson humide : les aliments y cuisent lentement, à couvert, dans une marmite exposée à la chaleur indirecte des éléments scellés dans les parois de l'unité électrique. Le fond ne chauffe pas.

Éplucheur

Les économes sont de plus en plus sophistiqués. Attention de ne pas sacrifier l'efficacité au design!

Planche à découper

La planche en bois est plus belle, mais celles en plastique ou en verre sont plus hygiéniques et ne gardent pas l'odeur des aliments. Les flexibles sont très pratiques.

Râpe

Plate, à quatre ou à six faces. à poignée coulissante… Il n'y a pas de meilleur choix que celle que vous préférez !

Mandoline

Pour trancher les pommes de terre d'un gratin dauphinois (entre autres !), la mandoline est un must.

Tasse à mesurer

En pyrex, elle résiste à la chaleur.

Ramequins

Pour mettre au four des portions individuelles.

Tajine

Le couvercle emprisonne la vapeur et rend la préparation d'une tendreté absolue. Et lorsque vous l'apporterez à table, votre tajine fera de l'effet.

Sauteuse

Les bords évasés de cette poêle permettent de remuer facilement les ingrédients.

Cuillères

Les cuillères de bois sont indispensables. Oubliez les cuillères en métal qui risquent de rayer le fond de vos marmites.

Écumoire

L'écumoire est une grande cuillère plate avec des trous. Essentielle pour retirer des aliments d'un liquide ou pour écumer, c'est-à-dire enlever les impuretés ou la mousse qui se forment à la surface d'un bouillon ou d'une sauce.

Passoires et chinois

Choisissez-les en acier inoxydable ou en plastique. Le chinois est une petite passoire fine de forme conique.

Comment faire...

Un bouquet garni

Ficelez solidement ensemble une branche de céleri, deux branches de persil, une branche de thym et deux feuilles de laurier.

Une béchamel

Pour une sauce assez épaisse, dans une casserole à fond épais, faites fondre 3 c. à soupe de beurre à feu doux. Ajoutez 3 c. à soupe de farine, mélangez et laissez cuire un moment, sans que le mélange ne colore. Ajoutez 1 tasse de lait, en fouettant pour éviter les grumeaux. Laisser épaissir. Salez et poivrez. Truc : faites refroidir le roux (beurre et farine) et faites chauffer le lait : vous éviterez les grumeaux.

Un fumet de poisson

1 kg d'arêtes et de têtes de poisson
1,5 litre d'eau ou de vin blanc sec
1 oignon
1 poireau
1 tranche de citron
Persil
Céleri
1 échalote grise
1 c. à soupe de beurre

Découpez les arêtes en morceaux et lavez-les à l'eau froide. Dans une casserole, faites fondre le beurre et mettez-y les oignons à suer. Ajoutez les arêtes et les têtes de poisson, puis le liquide et les aromates. Amenez à ébullition puis baissez à feu doux et laissez mijoter 1/2 heure, en écumant souvent. Passez au chinois.

Un court-bouillon

6 litres d'eau
5 c. à soupe de vin blanc sec
1 oignon épluché et émincé
2 carottes en rondelles
1 branche de céleri
1 bouquet garni
4 clous de girofle
1 c. à soupe de poivre en grains

Mettez tous les ingrédients dans l'eau. Laissez bouillir 1 heure.

Pour épaissir une sauce

Mettez un peu de la sauce dans un petit bol. Ajoutez de la farine ou de la fécule de maïs. Mélangez bien. Remettez ce mélange dans la casserole ou dans la poêle et laissez épaissir en remuant constamment.

À vos fourneaux !

Les soupes

Potage de tomates et basilic à l'italienne, à la mijoteuse

- 1 kg (2 lb) de tomates italiennes
- 2 c. à soupe d'huile d'olive + huile pour les croûtons
- 1 oignon, tranché finement
- 2 gousses d'ail, dégermées et écrasées
- 1 poivron rouge, paré et tranché finement
- 2 c. à soupe de pâte de tomate

- 1 litre (4 tasses) de bouillon
- Sel et poivre noir du moulin
- 4 tranche de pain multi-grains rassi, écroûté
- 4 c. à soupe de basilic frais, haché
- Parmesan râpé

1. À la base de chaque tomate, percez une petite croix. Plongez les tomates dans une casserole d'eau bouillante jusqu'à ce que leur peau commence à se soulever. Égouttez-les et pelez-les.

2. Dans une grande poêle, faites chauffer l'huile. Faites-y sauter l'oignon, l'ail et le poivron. Incorporez les tomates, la pâte de tomate, le bouillon, le sel et le poivre. Déposez le tout dans la mijoteuse. Couvrez et faites cuire : 6 heures à intensité élevée ou 8 heures à basse intensité. Laissez tiédir et réduisez le tout en purée au robot culinaire.

3. Rincez le bol de la mijoteuse, puis versez-y le potage. Réchauffez-le, à basse intensité, minimum 30 minutes.

4. Croûtons : coupez les tranches de pain en cubes d'environ 3 cm (1 po). Dans une poêle, faites chauffer de l'huile et faites-y dorer les cubes de pain. Réservez-les sur des essuie-tout.

5. Incorporez le basilic au potage et répartissez-le dans des bols réchauffés. Parsemez chaque portion de croûtons et de parmesan râpé.

Potage de tomates et basilic
à l'italienne, à la mijoteuse

13

Potage aux asperges

- 1 kg (2 lb) d'asperges
- 3 c. à soupe de beurre
- 2 tiges de céleri, haché
- 1 gros oignon, haché
- 1 gros poireau, tranché mince
  (blanc et vert réservés séparément)
- 1,5 litre (6 tasses) d'eau pour le bouillon
  + 500 ml (2 tasses) d'eau salée, pour les
  pointes d'asperges

- 6 grains de poivre noir
- 5 tiges de persil
- 3 tiges de thym
- Sel
- 3 gousses d'ail, dégermées et hachées
- 1 grosse pomme de terre, pelée et coupée
  en cubes
- 65 ml (1/4 tasse) de crème 35 %,
  à cuisson

1. Cassez les parties dures des asperges et réservez-les.

2. Retirez 1 1/2 po (4 cm) des têtes d'asperges et coupez chaque tête en trois parties. Réservez-les séparément des parties dures.

3. Cuisson du bouillon : dans une grande casserole, faites chauffer la moitié du beurre et faites-y revenir les parties dures des asperges, la moitié du céleri, l'oignon et la partie verte du poireau. Laissez cuire, à découvert, à feu moyen-élevé, en remuant de temps à autre, jusqu`à ce que les légumes soient très cuits, environ une demi-heure. Ajoutez l'eau, le poivre, le persil, le thym et le sel. Portez à ébullition. Réduisez à feu moyen-bas, couvrez et laissez mijoter une demi-heure.

4. Cuisson des têtes d'asperges : dans une grande casserole, portez l'eau salée à ébullition. Plongez-y les têtes d'asperges et faites-les cuire al dente quelques minutes. Égouttez-les dans une passoire, passez-les sous l'eau froide pour arrêter la cuisson et égouttez-les. Réservez-les.

5. Cuisson du potage : dans une autre grande casserole, faites fondre le reste du beurre. Ajoutez les blancs de poireau, le reste du céleri et du sel. Laissez cuire, en remuant, quelques minutes ou jusqu'à ramollissement du poireau. Ajoutez l'ail et cuisez-le 1 minute. Ajoutez les tiges d'asperges et la pomme de terre. Versez le bouillon à travers un tamis. Portez le tout à ébullition. Réduisez à feu moyen-bas, couvrez et laissez cuire jusqu'à ce que les légumes soient très tendres, une vingtaine de minutes. Fermez le feu et laissez tiédir.

6. Finition du potage : réduisez la préparation en purée au robot culinaire, gardez quelques morceaux de têtes d'asperges pour la décoration. Retournez le potage dans la casserole et incorporez la crème. Réchauffez le potage, sur feu moyen-bas. Vérifiez l'assaisonnement et répartissez dans des bols à soupe. Garnissez chaque portion de quelques morceaux de têtes d'asperges.

7. Dégustez ce potage chaud ou froid.

Potage aux asperges

Soupe de poisson, de maïs et de pommes de terre, à l'américaine, à la mijoteuse

- 1 oignon haché
- 2 c. à soupe de beurre
- 500 g (1 lb) de filets de sole, coupés en cubes
- 4 grosses pommes de terre, coupées en cubes
- 1 boîte de 398 ml (14 oz) de maïs en crème
- Sel et poivre noir du moulin
- 500 ml (2 tasses) d'eau
- 500 ml (2 tasses) de crème 15 %, à cuisson

1. Faites revenir l'oignon dans le beurre jusqu'à ce qu'il soit transparent.

2. Dans la mijoteuse, mélangez le poisson, l'oignon, les pommes de terre, le maïs, les assaisonnements et l'eau. Couvrez et laissez cuire à basse intensité, 6 heures, au moment de la dernière heure de cuisson, incorporez la crème.

3. Remuez et servez.

Soupe de poisson, de maïs et de pommes de terre, à l'américaine, à la mijoteuse

Soupe aux haricots blancs et aux légumes, à la grecque

- 500 g (1 lb) de haricots blancs
- 170 ml (2/3 tasse) d'huile d'olive
- 4 tiges de céleri, hachées
- 2 gros oignons rouges, hachés
- 1 carotte pelée et tranchée
- 1,5 litre (6 tasses) d'eau froide
- Tranches de fromage feta

1. La veille du repas, recouvrez les haricots d'eau et laissez-les tremper une nuit.

2. Le jour du repas, égouttez les haricots et rincez-les sous l'eau froide. Égouttez-les.

3. Dans une casserole épaisse, faites chauffer la moitié de l'huile, sur feu moyen. Ajoutez le céleri, les oignons et la carotte. Remuez et laissez cuire jusqu'à tendreté des légumes, une dizaine de minutes.

4. Ajoutez les haricots et remuez. Versez l'eau. Montez à feu à moyen-élevé et portez à ébullition, retirez l'écume qui pourrait se former à la surface. Réduisez à feu moyen-bas et laissez mijoter, en remuant de temps à autre, jusqu'à ce que les haricots soient très tendres et la soupe épaisse et crémeuse, environ 2 heures. Assaisonnez.

5. Retirez la casserole du feu et incorporez le reste de l'huile. Répartissez dans des assiettes creuses et garnissez chaque portion d'une tranche de feta.

Soupe aux haricots blancs et aux légumes, à la grecque

Soupe d'agneau aux pois chiches

- 500 g (1 lb) d'épaule d'agneau désossée et coupée en petits cubes
- 75 g (2/3 tasse) de pois chiches
- 5 ml (1 c. à café) de bicarbonate de soude
- 2,5 ml (1/2 c. à café) de paprika
- 2,5 ml (1/2 c. à café) de curcuma
- 1 carotte
- 1 branche de céleri

- 1 grosse pomme de terre
- 1 oignon
- 1 grosse boîte de tomates
- 1 litre de bouillon de volaille
- 45 ml (3 c. à soupe) de coriandre fraîche
- 30 ml (2 c. à soupe) de persil plat
- Huile d'olive
- Sel et poivre

1. Mettez à tremper toute une nuit les pois chiches dans un grand bol d'eau froide additionnée du bicarbonate de soude.

2. Rincez les pois chiches. Faites-les bouillir 20 minutes afin de pouvoir les peler plus facilement. Pour ce faire, faites-les rouler entre le pouce et l'index.

3. Lavez, pelez et coupez en dés la carotte, la pomme de terre et le céleri. Pelez et émincez l'oignon. Lavez et hachez la coriandre. (N'oubliez pas de garder quelques feuilles pour garnir.) Dégraissez l'agneau.

4. Dans un grand fait-tout, faites chauffer le curcuma et le paprika quelques secondes pour en faire ressortir tout l'arôme. Puis, ajoutez de l'huile d'olive. Quand elle est chaude, faites-y revenir l'agneau.

5. Retirez vos morceaux de viande et réservez.

6. Faites revenir les légumes. Une fois que les oignons sont tombés, posez les morceaux de viande par-dessus.

7. Mouillez de la boîte de tomate et du bouillon de volaille. Ajoutez les pois chiches, ainsi que la coriandre et le persil. Salez et poivrez. Amenez à ébullition puis baissez à feu doux pour laisser mijoter doucement pendant environ 40 minutes.

8. Parsemez de coriandre ciselée et servez brûlant.

Soupe d'agneau aux pois chiches

Soupe de veau aux navets

- 50 g (1/3 tasse) de pois chiches secs
- 15 ml (1 c. à soupe) de bicarbonate de soude
- 1 oignon
- 500 g (1 lb) d'épaule de veau désossée, coupée en petits cubes
- 15 ml (1 c. à soupe) de concentré de tomates
- 5 ml (1 c. à café) de paprika
- 2 navets
- 3 branches de persil plat
- 3 branches de coriandre
- Le jus de 1/2 citron
- Huile d'olive
- Sel et poivre

1. Faites tremper les pois chiches dans un bol d'eau additionnée de bicarbonate de soude pendant toute une nuit.

2. Rincez et égouttez les pois chiches et pelez-les en les faisant rouler entre le pouce et l'index.

3. Pelez et hachez l'oignon. Détaillez l'agneau en petits cubes. Dans un bol, mélangez 1L (4 tasses) d'eau avec le concentré de tomates et le paprika.

4. Dans une grande casserole à fond épais, faites chauffer l'huile d'olive. Lorsque celle-ci est chaude, faites-y suer les oignons. Puis, ajoutez la viande et faites-la revenir à feu vif.

5. Ajoutez le liquide et les pois chiches. Salez et poivrez. Amenez à ébullition et laissez mijoter à feu doux pendant 45 minutes.

6. Pelez et lavez les navets. Coupez chacun en 8 quartiers. Ajoutez-les à la soupe et laissez cuire encore 30 minutes.

7. Lavez et hachez le persil et la coriandre. Ajoutez-les à la soupe ainsi que le jus de citron. Rectifiez l'assaisonnement. Servez aussitôt.

Soupe de veau aux navets

Les plats végétariens

Confit de tomates

- 500 g (l lb) de tomates italiennes, coupées en deux sur la longueur
- 6 tiges de thym
- 1 c. à soupe de gros sel

- 2 c. à thé de poivre noir du moulin
- 1 tête d'ail (gousses pelées, dégermées et coupées en deux)
- 125 ml (1/2 tasse) d'huile d'olive

1. Préchauffez le four à 275 oF (140 oC).

2. Parsemez le fond d'une casserole, juste assez grande pour contenir les tomates en une seule couche, se chevauchant, de thym, de sel et de poivre. Disposez les tomates. Insérez l'ail et arrosez d'huile.

3. Laissez cuire 3 heures, en arrosant toutes les 45 minutes de jus de cuisson.

4. Servez ce confit de tomates chaud, en guise d'accompagnement d'une viande ou d'un poisson. Ou encore mélangé à des pâtes.

Confit de tomates

gratin de pommes de terre, champignons portobello et artichauts

- 4 c. à soupe d'huile d'olive
- 1 kg (2 lb) de pommes de terre, tranchées finement
- 6 coeurs d'artichauts en conserve, égouttés et tranchés
- 4 gros chapeaux de champignons portobello, tranchés finement

- 1 bûche de fromage de chèvre frais, coupée en petits morceaux
- Sel et poivre du moulin
- 3 gousses d'ail, dégermées et émincées
- 3 c. à soupe de parmesan, râpé
- 125 ml (1/2 tasse) de vin blanc

1. Préchauffez le four à 425 °F (220 °C). Enduisez d'huile l'intérieur d'un plat à gratin.

2. Étendez une couche de pommes de terre dans le fond du plat, puis la moitié de artichauts, puis la moitié des champignons. Parsemez de fromage de chèvre. Salez, poivrez, parsemez de la moitié de l'ail, puis de 1 c. à soupe de parmesan. Arrosez de 1 c. à soupe d'huile. Recouvrez du reste des champignons, puis des coeurs d'artichauts, du chèvre, de l'ail et de 1 c. à soupe de parmesan. Arrosez de 1 c. à soupe d'huile. Couronnez d'une couche de pommes de terre. Arrosez de vin et de 1 c. à soupe d'huile. Recouvrez de papier d'aluminium et laissez cuire 40 minutes.

3. Réduisez la température du four à 400 °F (200 °C).

4. Retirez le papier d'aluminium. Parsemer le dessus du gratin du reste de parmesan et laissez cuire 25 minutes ou jusqu'à ce que les pommes de terre soient tendres et légèrement dorées.

Gratin de pommes de terre,
champignons portobello et artichauts

Cannellonis farcis aux épinards et à la ricotta

Sauce béchamel au parmesan :
- 112 g (1/2 tasse) de beurre
- 1 gousse d'ail, coupée en deux et dégermée
- 57 g (1/2 tasse) de farine tout usage
- 500 ml (2 tasses) de lait
- Une pincée de muscade
- 1 c. à soupe de parmesan râpé
- Sel et poivre noir du moulin

Sauce italienne :
- Huile d'olive
- 1 gousse d'ail, dégermée et écrasée
- 1/2 carotte râpée
- Quelques tiges de persil, hachées
- Le quart d'une tige de céleri, hachée
- 1 boîte de 540 ml (19 oz) de tomates coupées en cubes
- 1 poignée de feuilles de basilic

Farce et montage des cannellonis :
- Environ 18 cannellonis pré-cuits (de type Direct-au-four)
- 1 sac d'épinards frais
- 1 contenant de ricotta
- 1 oeuf battu
- 2 c. à soupe de parmesan râpé
- Sel et poivre noir du moulin

1. Préchauffez le four à 375 °F (190 °C).

2. Béchamel : Dans une casserole, faites chauffer le beurre. Ajoutez l'ail et la farine, en remuant. En dehors du feu, versez le lait, remettez sur le feu et remuez jusqu'à épaississement. Incorporez la muscade et le parmesan. Salez et poivrez.

3. Sauce italienne : Dans une poêle, faites chauffer l'huile. Faites-y dorer l'ail, la carotte, le persil et le céleri. Ajoutez les tomates et le basilic et laissez mijoter 20 minutes.

4. Farce et montage : Mélanger les épinards, la ricotta, l'oeuf et le parmesan. Salez et poivrez. En farcir les cannellonis et déposez dans un plat à four graissé. Arrosez de béchamel, puis de sauce italienne. Cuire de 30 à 40 minutes.

Cannellonis farcis
aux épinards et à la ricotta

Gratin de pommes de terre
aux deux champignons

- 1 sachet de champignons porcini, séchés
- 1,5 kg (3 lb) de pommes de terre
- Beurre
- Huile d'olive
- 1 contenant de champignons (blancs ou café), tranchés

- 2 gousses d'ail, dégermées et écrasées
- 1 c. à soupe de thym frais, haché
- Sel et poivre du moulin
- Bouillon de légumes

1. Préchauffez le four à 375 °F (190 °C).

2. Faites réhydrater les porcini dans l'eau bouillante, environ 20 minutes.

3. Pelez les pommes de terre et tranchez-les le plus finement possible (de préférence à l'aide d'une mandoline). Pour ne pas qu'elles brunissent, plongez-les dans un bol d'eau froide.

4. Dans une grande poêle, mettez une noix de beurre et 1 c. à soupe d'huile. Faites-y revenir les champignons tranchés, l'ail et le thym.

5. Égouttez les porcini, réservez l'eau de trempage. Hachez-les et ajoutez-les à la préparation précédente. Assaisonnez.

6. Dans un plat à gratin graissé, étendez une première couche de pommes de terre, puis une couche de champignons et répétez les opérations jusqu'à épuisement des ingrédients. Arrosez de bouillon et d'eau de trempage des porcini. Parsemez de noix de beurre et faites cuire sur la grille du bas du four 2 heures ou jusqu'à ce que les pommes de terre soient tendres et le dessus doré.

Gratin de pommes de terre
aux deux champignons

Lasagne au pesto

• 16 lasagnes (pâtes)
• 85 ml (1/3 tasse) de bouillon de légumes
• 375 ml (1 1/2 tasse) de parmesan râpé

Pesto :
• 500 ml (2 tasses) de basilic frais, haché
• 250 ml (1 tasse) de parmesan râpé
• 125 ml (1/2 tasse) d'huile d'olive
• 4 c. à soupe de noix de pin
• 4 gousses d'ail, coupées en deux
  et dégermées
• Sel et poivre noir du moulin

Sauce béchamel :
• 1 bâton de beurre
• 2 échalotes sèches, émincées
• 57 g (1/2 tasse) de farine tout usage
• 1 litre (4 tasses) de lait entier
• Muscade

1. Préchauffez le four à 375 °F (190 °C).

2. **Pesto :** Réduisez les ingrédients en purée au robot culinaire. Vérifiez l'assaisonnement et réservez.

3. **Sauce béchamel :** dans une grande poêle épaisse, faites fondre le beurre, sur feu moyen. Ajoutez les échalotes et faites revenir quelques minutes. Ajoutez la farine et fouettez jusqu'à homogénéité. Hors du feu, versez le lait. Cuisez jusqu'à épaississement, en remuant. Incorporez la muscade, le sel et le poivre. Laissez tiédir.

4. Faites cuire les lasagnes al dente, dans l'eau bouillante, environ 12 minutes. Égouttez. Pour qu'elles soient bien plates, étendez-les sur des linges et percez-les à plusieurs endroits avec une fourchette.

5. Dans un petit bol, mélangez 250 ml (1 tasse) de pesto avec le bouillon, conservez le reste du pesto pour un usage ultérieur.

6. Dans un plat à lasagne beurré, étendez 125 ml (1/2 tasse) de béchamel. Recouvrez de 4 lasagnes. Recouvrez de 250 ml (1 tasse) de béchamel. Recouvrez du tiers du pesto. Parsemez 85 ml (1/3 tasse) de parmesan. Répétez les opérations en terminant par 4 lasagnes, de la béchamel et du parmesan râpé.

7. Couvrez lâchement la lasagne de papier d'aluminium et faites-la cuire au four 30 minutes. Retirez le papier d'aluminium et faites-la cuire jusqu'à ce qu'apparaissent des bouillons, environ 20 minutes.

8. Laissez reposer la lasagne 15 minutes et découpez-la en carrés.

Lasagne au pesto

Gratin dauphinois

- 1 gousse d'ail, coupée en deux
- 3 c. à soupe de beurre
- 1 kg (2 lb) de pommes de terre, pelées et coupées en fines rondelles
- Sel et poivre noir du moulin
- 250 ml (1 tasse) de crème à 15 %, à cuisson
- 250 ml (1 tasse) de lait

1. Préchauffez le four à 350 °F (180 °C).

2. Frottez un plat à gratin avec l'ail et beurrez-le généreusement.

3. Disposez-y les pommes de terre en 3 couches égales, salez et poivrez chaque couche et nappez-la de crème. Versez le lait jusqu'à hauteur des pommes de terre. Parsemez le gratin de noisettes de beurre.

4. Faites cuire au four environ 1 h 30 ou jusqu'à ce que les pommes de terre soient tendres (un couteau doit y pénétrer facilement).

Gratin dauphinois

Gratin d'endives

- 4 petites endives, parées
- 65 ml (1/4 tasse) de crème à 35 %, à cuisson
- 1 c. à soupe de jus de citron, fraîchement pressé
- 5 c. à soupe de beurre
- Sel et poivre noir du moulin
- 2 c. à soupe de gruyère râpé
- 2 c. à soupe de parmesan râpé
- 1 c. à soupe de chapelure
- 3 c. à soupe de sauce béchamel

1. Préchauffez le four à 375 °F (190 °C).

2. Dans une casserole épaisse beurrée, mettre les endives, la crème et le jus de citron. Parsemez de noisettes de beurre. Salez et poivrez. Couvrez et portez à ébullition, sur feu moyen-élevé.

3. Mettez la casserole au four et laissez braiser les endives jusqu'à ce qu'un couteau les transperce facilement, de 45 à 60 minutes.

4. Mélangez les fromages et la chapelure. Réservez.

5. Faites fondre le reste du beurre au micro-ondes et réservez-le.

6. À l'aide d'une écumoire, déposez les endives dans un plat à gratin beurré. Nappez de béchamel, parsemez du mélange fromage et chapelure et arrosez de beurre fondu.

7. Déposez le gratin sur une plaque et faites cuire au four jusqu'à ce que le dessus soit doré, de 7 à 10 minutes.

Gratin d'endives

Haricots blancs aux champignons, à l'italienne

- 375 ml (1 1/2 tasse) de haricots blancs, recouverts d'eau froide pendant une nuit et égouttés
- 1 oignon haché
- 4 gousses d'ail, dégermées et hachées
- 250 ml (1 tasse) de champignons tranchés
- Sel et poivre noir du moulin
- Thym frais haché ou thym séché
- 4 c. à thé d'huile d'olive

1. Dans une grande tasse à mesurer en pyrex, mettez le tiers des haricots. Parsemez du tiers de l'oignon, du tiers de l'ail et du tiers des champignons. Salez et poivrez généreusement. Parsemez de thym. Arrosez de 1 c. à thé d'huile. Répétez les opérations jusqu'à épuisement des ingrédients.

2. Dans le fond d'une casserole pouvant contenir la tasse, déposez une feuille de papier d'aluminium froissée, ce qui empêche la tasse de cogner contre le métal. Déposez-y la tasse.

3. Dans la casserole, versez de l'eau jusqu'à atteindre la moitié de la tasse. Couvrez. Portez l'eau à ébullition. Baissez le feu et laissez mijoter 2 heures ou jusqu'à ce que les haricots soient cuits.

4. Remuez, vérifiez l'assaisonnement et servez en guise d'accompagnement d'une viande.

Sauce tomate

- 3 kg (6 lb) de tomates mûres
- 3 c. à soupe d'huile d'olive
- 6 gousses d'ail, dégermées et hachées
- 125 ml (1/2 tasse) de vin rouge
- 2 c. à soupe de vinaigre balsamique
- 1 c. à thé d'origan séché
- 2 feuilles de laurier
- Sel et poivre noir du moulin

1. Percez une croix à la base de chaque tomate. Plongez-les dans de l'eau bouillante jusqu'à ce que la peau commence à décoller. Pelez-les, coupez-les en deux et retirez les pépins.

Hachez-les grossièrement.

2. Dans une cocotte, faites chauffer l'huile et faites-y légèrement dorer l'ail. Versez le vinaigre. Incorporez les tomates, l'origan et les feuilles de laurier. Laissez cuire quelques minutes, en remuant. Versez le vin. Salez et poivrez.

3. Faites cuire environ 2 heures, sur feu doux, en remuant de temps à autre pour empêcher que la sauce colle.

Haricots blancs aux
champignons, à l'italienne

Tomates farcies au riz, à l'italienne

- 6 grosses tomates mûres, mais fermes
- 90 g (1/2 tasse) de riz
- 1 c. à soupe d'origan frais, haché
- 1 c. à soupe de marjolaine fraîche, hachée
- 1 c. à soupe de menthe fraîche, hachée
- 1 c. à soupe de persil, haché
- 65 ml (1/4 tasse) d'huile d'olive
- Sel et poivre noir du moulin

1. Préchauffez le four à 350 °F (180 °C).

2. Coupez un chapeau sur chaque tomate.

3. Retirez la pulpe des tomates, en laissant environ 1/2 po (2 cm) de chair autour et mettez-la dans un bol. Ajoutez-y le riz, les herbes, 3 c. à soupe d'huile, du sel et du poivre. Réservez à température ambiante 30 minutes pour que s'amalgament les saveurs.

4. Salez l'intérieur des tomates et retournez-les sur des essuie-tout pour qu'elles laissent échapper leur eau, 30 minutes.

5. Égouttez la préparation à base de la pulpe des tomates, conservez le liquide. Farcissez les tomates de cette préparation. Remettez les chapeaux sur les tomates et disposez-les dans un plat à four huilé.

6. Laissez cuire ces tomates farcies au four 1 heure ou jusqu'à ce que le riz soit cuit, en cours de cuisson, arrosez le riz de liquide tomaté, si nécessaire, pour ne pas qu'il sèche.

Tomates farcies
au riz à l'italienne

L'agneau

Agneau fondant aux pommes de terre

- 1,5 kg (3 lb) d'épaule d'agneau entière, avec les os
- 1,5 kg (3 lb) de rattes ou de pommes de terre nouvelles
- Huile d'olive
- Beurre
- 2 pincées de safran
- Sel et poivre

1. Dégraissez l'épaule d'agneau. Lavez les pommes de terre.

2. Dans un petit bol, mélangez l'huile d'olive et le safran, que vous aurez dilué dans un peu d'eau chaude. Salez et poivrez. Badigonnez l'épaule avec la moitié de cette sauce et laissez reposer au réfrigérateur environ 3 heures.

3. Commencez la cuisson à four froid et laissez cuire pendant 2 heures à 300 °F (150 °C).

4. Pendant ce temps, faites bouillir les pommes de terre jusqu'à ce qu'elles soient al dente (15-20 minutes). Pelez-les, puis badigonnez-les du reste de la sauce au safran.

5. Disposez les pommes de terre autour de l'agneau et parsemez de petits morceaux de beurre.

   Poursuivez la cuisson encore 30 minutes.

Agneau à l'aubergine

- 6 tranches de gigot d'agneau
- 1 grosse ou 2 petites aubergines
- 50 g (1 tasse) de chapelure
- 20 tomates italiennes

- 3 gousses d'ail
- Sel et poivre
- Huile d'olive

1. Coupez les aubergines en tranches minces. Pour les faire dégorger, parsemez-les de gros sel et attendez au moins 30 minutes. Puis, à l'aide de papier absorbant, enlevez l'eau qui sera sortie du légume. Cette opération n'est pas obligatoire, mais elle évitera qu'il y ait trop de liquide dans le plat.

2. Préparez un coulis de tomate. Pour ce faire, plongez dans l'eau bouillante les tomates bien mûres. Au bout de 30 secondes, égouttez-les et passez-les à l'eau froide. Pelez et épépinez-les. Passez la pulpe au robot. Puis, mettez le coulis dans une casserole, salez et poivrez. Amenez à ébullition. Réservez.

3. Préchauffez le four à 350 °F (180 °C). Dans une poêle, faites revenir les côtelettes dans l'huile d'olive. Salez et poivrez. Réservez.

4. Passez les tranches d'aubergine dans la chapelure puis faites-les dorer dans la graisse que les côtelettes auront laissée. Salez et poivrez. Réservez.

5. Dans une cocotte allant au four, alterner des étages de tranches de gigot et de tranches d'aubergine. Mouiller du coulis de tomate. Ajoutez les gousses d'ail épluchées, mais laissées entières. Couvrez et faites cuire au four à 350 °F (180 °C) pendant 1 heure.

Agneau à l'aubergine

Agneau à la grecque

- 1,5 kg (3 lb) d'épaule d'agneau coupée en cubes de grosseur moyenne
- 5 gousses d'ail
- 1 boîte de tomates italiennes (796 ml ou 28 oz)
- Huile d'olive

- 5 ml (1 c. à café) d'origan frais ou séché
- 400 g (2 tasses) de pâtes de type orzo (langues d'oiseau)
- 60 g (2 oz) de parmesan
- Sel et poivre

1. Préchauffez le four à 350 °F (180 °C).

2. Hachez l'ail. Pelez les tomates et coupez-les en dés. Dégraissez l'agneau.

3. Déposez les morceaux d'agneau dans un grand plat à rôtir. Ajoutez l'ail, les tomates, l'origan, le sel et le poivre. Mouillez de 250 ml (1 tasse) d'eau chaude et enfournez. Laissez cuire 1 h 30 en arrosant à deux reprises.

4. Ajoutez ensuite 3 tasses (750 ml) d'eau ainsi que les pâtes. Salez et poivrez. Mélangez bien et remettez au four pendant 30 à 40 minutes.

5. Saupoudrez de parmesan râpé.

Agneau à la grecque

Agneau aux fruits secs

- 1,5 kg (3 lb) d'épaule d'agneau désossée et découpée en cubes de grosseur moyenne
- 2 oignons
- 6 abricots secs
- 6 pruneaux
- 150 g (1 1/4 tasse) de raisins secs dorés
- Thé vert
- 200 g (1 tasse) de sucre
- 15 ml (1 c. à soupe) d'eau de fleur d'oranger
- 1 pincée de safran
- 100 g (3/4 tasse) de pignons ou d'amandes
- Huile d'olive
- Sel et poivre

1. Faites tremper les abricots, les pruneaux et les raisins secs dans un grand bol de thé vert.

2. Dans une petite casserole, faites fondre le sucre dans 500 ml (2 tasses) d'eau, avec l'eau de fleur d'oranger et le safran. Amenez à ébullition puis baissez à feu doux.

3. Dégraissez les morceaux d'agneau. Émincez les oignons.

4. Dans une grande cocotte, faites chauffer l'huile d'olive. Déposez-y les morceaux d'agneau. Une fois qu'ils sont dorés sur toutes leurs faces, retirez-les et réservez.

5. Dans le gras de cuisson, faites revenir les oignons. Une fois qu'ils sont tombés, placez les morceaux d'agneau par-dessus. Puis, versez le sirop. Ajoutez les fruits secs non égouttés. Laissez mijoter doucement pendant 1 heure.

6. Pendant ce temps, faites dorer les pignons (ou les amandes) dans une poêle antiadhésive, sans ajouter de gras.

7. Servez l'agneau sur un lit de riz basmati et saupoudrez des pignons ou des amandes.

Agneau aux fruits secs

Agneau aux petits pois

- 1,5 kg (3 lb) d'épaule d'agneau désossée et coupée en morceaux de grosseur moyenne
- 1 gros oignon
- 6 brins de ciboulette
- 3 carottes
- 1 citron
- 1 litre (4 tasses) de bouillon de volaille
- 1 kg (2 lb) de petits pois (frais ou congelés)
- Huile d'olive
- Sel et poivre

1. Émincez l'oignon, tranchez les carottes en rondelles et hachez la ciboulette.

2. Dans une grande cocotte, faites revenir la viande dans l'huile d'olive. Quand ils sont bien dorés, retirez les morceaux de la cocotte, et faites-y revenir l'oignon.

3. Lorsque l'oignon est tombé, ajoutez les carottes et laissez revenir quelques minutes.

4. Placez l'agneau par-dessus et ajoutez le jus de citron, le bouillon de volaille et la ciboulette. Salez et poivrez. Laissez mijoter à couvert pendant 45 minutes.

5. Ajoutez les petits pois et laissez cuire pendant une vingtaine de minutes supplémentaires.

Agneau aux petits pois

Agneau aux poivrons

- 1,5 kg (3 lb) d'épaule d'agneau désossée
- 25 cl (1 tasse) de vin blanc sec
- 6 gousses d'ail
- 1 citron bio
- 5 branches de thym frais
- 1 oignon espagnol
- 15 ml (1 c. à soupe) de piments séchés broyés

- 12 tomates italiennes bien mûres
- 350 ml (1 1/3 tasse) de bouillon de volaille
- 6 poivrons rouges
- Huile d'olive
- Sel et poivre

1. Découpez l'épaule d'agneau en cubes d'environ 4 cm de côté. Hachez l'oignon et l'ail.

2. Préparez une marinade avec le vin blanc, l'huile d'olive, 3 gousses d'ail, le zeste du citron et le thym frais. Versez dans un grand sac de plastique refermable et ajoutez les morceaux d'agneau. Fermez le sac hermétiquement et laissez au réfrigérateur pendant 12 heures.

3. Préparez un coulis de tomate. Pour ce faire, plongez les tomate dans l'eau bouillante. Au bout de 30 secondes, égouttez-les et passez-les à l'eau froide. Pelez et épépinez-les. Passez la pulpe au robot. Puis, mettez ce coulis dans une casserole, salez et poivrez. Amenez à ébullition. Réservez.

4. Sortez les cubes de viande de la marinade et épongez-les soigneusement. Réservez la marinade.

5. Dans une grande cocotte, faites revenir l'agneau dans l'huile d'olive. Une fois les morceaux dorés sur toutes leurs faces, réservez-les.

6. Dans la cocotte, faites revenir l'oignon avec 3 gousses d'ail et les piments broyés. Vous pouvez ajouter de l'huile d'olive si besoin. Versez la marinade et amenez à ébullition. Baissez le feu et ajoutez les morceaux d'agneau, le coulis de tomates et le bouillon. Salez et poivrez. Laissez mijoter doucement pendant 1 heure.

7. Pendant ce temps, mettez vos poivrons coupés en deux et épépinés sur une tôle et passez-les au gril jusqu'à ce que leur peau noircisse. Sortez-les et mettez-les immédiatement dans un sac de papier. Attendez une dizaine de minutes : leur peau se détachera presque d'elle-même. Une fois pelés, découpez-les en lanières. Lorsque la viande cuit depuis 1 heure, ajoutez-les à la cocotte. Poursuivez la cuisson encore 30 minutes.

8. Parsemez de persil ciselé.

Agneau aux poivrons

Agneau bouilli

- 1 gigot d'agneau de 2 kg (4 lb)
- 4 carottes
- 2 oignons
- 2 clous de girofle
- 3 gousses d'ail
- 1 bouquet garni
- Sel et poivre

1. Coupez les carottes en tronçons, pelez les gousses d'ail, que vous laisserez entières. Pelez les oignons et piquez l'un d'eux des clous de girofle.

2. Remplissez une grande cocotte d'eau froide. Ajoutez les carottes, les oignons, l'ail et un bouquet garni. Amenez à ébullition.

3. Salez et poivrez le gigot d'agneau, enveloppez-le dans un coton à fromage et ficelez-le solidement. Lorsque l'eau arrive à ébullition, plongez-y la viande et laissez cuire 45 minutes.

4. Sortez la viande du bouillon, enlevez le linge et dressez sur un plat de service.

Agneau aux herbes fraîches

- 1,5 kg (3 lb) d'épaule d'agneau, coupée en gros morceaux
- 250 ml (1 tasse) de vin blanc sec
- 60 ml (4 c. à soupe) de vinaigre blanc
- 30 ml (2 c. à soupe) de romarin frais
- 30 ml (2 c. à soupe) de sauge fraîche
- Huile d'olive
- Sel et poivre

1. Pelez et hachez l'ail. Hachez finement le romarin et la sauge. Dégraissez l'agneau.

2. Dans une grande cocotte en fonte, faites chauffer l'huile d'olive. Faites-y revenir les morceaux d'agneau.

3. Mouillez du vin et du vinaigre blanc. Ajoutez l'ail, le sel et le poivre. Amenez à ébullition, puis baisser à feu doux et laissez mijoter pendant 1 heure.

4. Ajoutez la sauge et le romarin et poursuivez la cuisson encore 30 minutes.

Agneau braisé

- 1,5 kg (3 lb) d'épaule d'agneau
- 2 carottes
- 1 oignon
- 1 branche de céleri
- 1 feuille de laurier

- 3 tranches de lard salé
- 2 branches de thym frais
- 1 bouteille de vin blanc sec
- Beurre
- Sel et poivre

1. Coupez en brunoise les carottes, le céleri effilé et l'oignon, puis, dans une grande cocotte, faites-les suer dans du beurre. Réservez et jetez le gras de cuisson.

2. Disposez au fond de la cocotte les tranches de lard et déposez par-dessus les légumes puis l'agneau. Salez et poivrez.

3. Mouillez de vin blanc sec. Ne recouvrez pas totalement la viande. Il faut que le liquide arrive à la moitié de la hauteur de la pièce de viande. Ajoutez une feuille de laurier et quelques branches de thym. Quand l'alcool s'est évaporé, couvrez et laissez cuire doucement 1 heure.

Agneau du Devonshire

- 6 côtelettes d'agneau épaisses
- 500 g (1 lb) de pommes de terre nouvelles
- 8 champignons de Paris
- 8 petites carottes
- 8 échalotes
- 25 g (1 oz) de beurre
- 150 ml (2/3 tasse) de cidre
- 150 ml (2/3 tasse) de bouillon de volaille
- Bouquet garni
- 125 g (1/4 lb) de petits pois (frais ou congelés)
- 75 ml (1/3 tasse) de crème 35 %
- 30 ml (2 c. à soupe) de persil plat
- Sel et poivre

1. Coupez les pommes de terre en morceaux de la taille d'une noix de Grenoble. Tranchez les champignons, coupez les carottes en tronçons, pelez les échalotes, que vous laisserez entières.

2. Dans une sauteuse, faites fondre le beurre. Une fois qu'il est chaud, mais pas coloré, ajoutez la viande. Une fois dorée, retirez-la et mettez-la dans une cocotte allant au four.

3. Mettez les pommes de terre, les échalotes et les carottes dans la sauteuse et faites-les revenir quelques minutes.

4. Déposez les légumes par-dessus la viande.

5. Mélangez le cidre et le bouillon au jus de cuisson de la sauteuse. Amenez à ébullition puis versez sur la viande et les légumes. Salez et poivrez. Ajoutez le bouquet garni, couvrez et laissez mijoter 45 minutes.

6. Ajoutez les petits pois. Laissez cuire encore 15 minutes.

7. Ajoutez la crème, puis faites chauffer 5 minutes, sans laisser bouillir.

8. Parsemez de persil ciselé.

Agneau du Devonshire

Gigot aux 40 gousses d'ail

- 1 gigot d'agneau de 2 kg (4 lb)
- 40 gousses d'ail
- 6 branches de romarin

- Huile d'olive
- 6 pommes de terre

1. Préchauffez le four à 450 °F (230 °C).

2. Pelez 3 gousses d'ail et coupez-les en 4. Hachez finement le romarin.

3. Déposez le gigot dans un plat allant au four. Piquez-le d'ail, badigeonnez-le d'huile d'olive et parsemez-le de romarin. Salez et poivrez.

4. Faites blanchir (2 à 3 minutes) le reste des gousses d'ail en chemise.

5. Pelez les pommes de terre et coupez chacune en 8 quartiers.

6. Disposez les pommes de terre et les gousses d'ail en chemise tout autour du gigot.

7. Arrosez d'un filet d'huile d'olive et de romarin finement haché. Salez et poivrez.

8. Enfournez et, au bout de 30 minutes, baissez le feu à 350 °F (175 °C). Laissez cuire encore 45 minutes pour un gigot rosé.

Gigot aux 40 gousses d'ail

Cari d'agneau

- 1,5 kg (3 lb) d'épaule d'agneau désossée, dégraissée, coupée en petits cubes
- 375 ml (1 1/2 tasse) de yaourt
- 3 oignons
- 4 gousses d'ail
- 15 ml (1 c. à soupe) de gingembre frais haché
- Quelques feuilles de menthe
- 5 ml (1 c. à café) de graines de cardamome
- 5 ml (1 c. à café) de cannelle
- 5 ml (1 c. à café) de grains de poivre noir
- 5 ml (1 c. café) de graines de cumin
- 5 ml (1 c. café) de piment séché
- 1 pincée de safran
- 80 g (1 tasse) d'amandes tranchées
- 60 g (1/2 tasse) de raisins secs dorés
- Huile de canola
- Sel et poivre

1. Dans une grande cocotte, mélangez le yaourt à 500 ml (2 tasses) d'eau. Laissez frémir, puis plongez-y la viande et laissez cuire pendant 10 minutes. Réservez la viande et le liquide séparément.

2. Pelez et émincez les oignons, puis, dans une sauteuse, faites-les revenir dans l'huile de canola.

3. Hachez finement l'ail, le gingembre et les feuilles de menthe. Ajoutez aux oignons.

4. Dans un mortier ou au robot, réduisez en poudre la cardamome, la cannelle, le poivre, le cumin, le piment, le safran. Ajoutez aux oignons.

5. Déposez la viande sur les oignons. Puis, versez le liquide.

6. Laissez cuire à feu moyen jsuqu'à ce que la viande soit tendre et la sauce courte, environ 1 heure.

7. Faites dorer les amandes dans une poêle antiadhésive (sans gras) et faites tremper les raisins dans un peu d'eau. Avant de servir, garnissez-en le cari.

Gigot à l'écossaise

- 1 gigot de 2 kg (4 lb)
- 25 g (1/4 tasse) de poivre noir en grains
- 20 g (1 c. à soupe) de gros sel marin
- 10 gousses d'ail
- 12 baies de genièvre

1. Remplissez une grande casserole d'eau. Ajoutez-y le poivre, le sel, les gousses d'ail pelées et laissées entières et les baies de genièvre.

2. Enveloppez le gigot dans un coton à fromage et ficelez-le solidement.

3. Plongez le gigot dans l'eau. Amenez à ébullition, puis baissez le feu et laissez cuire 1 heure.

Cari d'agneau

Gigot à la charmoula

- 1 gigot d'agneau de 2 kg (4 lb)
- 1 oignon espagnol
- 3 gousses d'ail
- 75 ml (1/4 tasse) de persil plat
- 75 ml (1/4 tasse) de coriandre fraîche
- 5 ml (1 c. à café) de cumin en poudre

- 1 pincée de safran
- 5 ml (1 c. à café) de ras-el-hanout
- 5 ml (1 c. à café) de harissa
- Le jus de 1 citron
- 50 ml (3 c. à soupe) d'huile d'olive

1. Préparez la charmoula. D'abord, hachez finement l'oignon, l'ail, le persil et la coriandre. Dans un grand bol, mélangez ces ingrédients et ajoutez le cumin, le safran, le ras al-hanout, la harissa, le jus de citron et l'huile d'olive. Laissez reposer 1 heure.

2. Enduisez le gigot de la charmoula et laissez mariner deux heures au réfrigérateur, couvert d'une pellicule plastique.

3. Préchauffez le four à 400 °F (200 °C). Enfournez le gigot et laissez cuire pendant environ 1 heure, en arrosant fréquemment du jus de cuisson.

Le ras-el-hanout :

Le ras-el-hanout est un mélange d'épices en poudre utilisé dans la cuisine nord-africaine qui serait dit-on, aphrodisiaque ! La recette varie, mais il contient en général de la cannelle, des clous de girofle, du poivre noir, des graines de coriandre, de la cardamome, du cumin, du curcuma, du gingembre, des piments forts et des boutons de rose séchés. Son nom signifie « toit de la boutique ».

Gigot à la charmoula

Gigot à la gremolata

- 1 gigot de 2 kg (4 lb)
- 1 pain de mie ou 100 g (2 tasses) de chapelure
- 8 gousses d'ail
- Le zeste de 3 citrons bio
- 1 bouquet de persil plat
- 60 ml (4 c. à soupe) d'huile d'olive
- Sel et poivre

1. Passez sous le gril des tranches de pain de mie afin qu'elle blondissent, puis broyez-les au mortier ou au robot. Vous pouvez aussi utiliser de la chapelure déjà préparée.

2. Préchauffez le four à 350 °F (180 °C).

3. **Pour faire la gremolata :** pelez l'ail, prélevez le zeste des citrons et hachez-les finement avec le persil ; mélangez dans un bol ces ingrédients à la chapelure et à l'huile d'olive ; salez et poivrez.

4. Épongez bien le gigot et étendez la gremolata sur toute sa surface.

5. Enfournez et laissez cuire pendant 1 heure. Arrosez du jus de cuisson à plusieurs reprises.

Gigot à la gremolata

Gigot au citron et à l'ail

- 1 gigot de 2 kg (4 lb)
- 3 gousses d'ail
- 1 citron bio
- 90 ml (6 c. à soupe) de romarin frais
- 6 pommes de terre
- Huile d'olive
- Sel et poivre

1. Pelez et hachez l'ail. Prélevez le zeste du citron et extrayez-en le jus. Hachez finement le romarin.

2. Dans un grand bol, mélangez l'ail, le zeste et le jus de citron et 60 ml (4 c. à soupe) de romarin à 45 ml (3 c. à soupe) d'huile d'olive.

3. Enduisez bien toutes les faces du gigot de la marinade, couvrez d'une pellicule plastique et laissez reposer au réfrigérateur pendant 12 heures.

4. Pelez les pommes de terre et coupez chacune en 8 quartiers.

5. Préchauffez le four à 450 °F (230 °C). Une fois le four chaud, mettez-y le gigot et laissez cuire 15 minutes.

6. Disposez les pommes de terre autour du gigot, arrosez d'un filet d'huile d'olive et des 30 ml (2 c. à soupe) de romarin restants, salez et poivrez. Baissez le four à 350 °F (180 °C) et laissez cuire 1 heure.

Gigot au citron et à l'ail

Gigot au sirop d'érable

- 1 gigot de 2 kg (4 lb)
- 5 ml (1 c. à café) de moutarde sèche
- 1 gousse d'ail
- 5 ml (1 c. à café) de sauge séchée
- 10 ml (2 c. à café) de sauce Worcestershire
- 2,5 ml (1/2 c. à café) de menthe séchée
- Le jus de 1/2 citron
- 125 ml (1/2 tasse) de sirop d'érable
- 30 ml (2 c. à soupe) d'eau

1. Préchauffez le four à 350 °F (180 °C).

2. Versez tous les ingrédients dans un grand bol. Mélangez afin d'obtenir une sauce homogène.

3. Épongez la viande. Enduisez-la de la sauce.

4. Enfournez et laissez cuire 1 heure.

Gigot au sirop d'érable

Gigot de sept heures
aux haricots blancs

- 200 g (1 tasse) de haricots blancs secs
- 1 gigot d'agneau de 2 kg (4 lb)
- 2 carottes
- 2 oignons
- 1 feuille de laurier
- 10 ml (2 c. à café) de thym frais
- 10 ml (2 c. à café) de sariette séchée

- 6 gousses d'ail
- 15 ml (1 c. à soupe) de concentré de tomates
- 250 ml (1 tasse) de vin rouge
- 500 ml (2 tasses) de bouillon de boeuf
- Huile d'olive
- Sel et poivre

1. La veille, faites tremper les haricots blancs dans de l'eau froide.

2. Préchauffez le four à 250 °F (120 °C).

3. Coupez les carottes en tronçons. Émincez les oignons.

4. Dans une cocotte allant au four, faites dorer le gigot dans l'huile d'olive à feu vif. Ajoutez la feuille de laurier, le thym, la sariette, les oignons, les carottes et l'ail en chemise. Salez et poivrez.

5. Délayez le concentré de tomates dans 15 cl (2/3 tasse) d'eau chaude, puis versez dans la cocotte. Ajoutez le vin rouge et le bouillon de boeuf. Couvrez et enfournez. Laissez cuire 7 heures.

6. Rincez les haricots et faites-les bouillir dans de l'eau salée pendant 45 minutes. Égouttez-les et ajoutez-les au gigot lorsque celui-ci cuit depuis déjà 6 heures.

7. Dressez le gigot dans un grand plat sur son lit de haricots blancs.

Gigot de sept heures
aux haricots blancs

Gigot rôti à la marocaine

- 1 gigot d'agneau de 2 kg (4 lb)
- 1 oignon rouge
- 3 gousses d'ail
- 5 ml (1 c. à café) de cumin
- 1 pincée de cannelle
- 5 ml (1 c. à café) de gingembre moulu
- 1 pincée de poivre de cayenne
- 1 pincée de safran
- 1/2 tasse d'eau
- 30 ml (2 c. à soupe) d'huile d'olive
- Beurre
- Sel et poivre

1. Hachez finement l'oignon et l'ail. Dans un bol, mélangez l'huile d'olive, le cumin, la cannelle, le gingembre, le poivre de cayenne et le safran. Ajoutez l'eau et battez à l'aide d'un fouet. Ajoutez l'oignon et l'ail et remuez bien.

2. Déposez le gigot dans un grand plat allant au four. Badigeonnez-le généreusement de beurre, salez et poivrez. Puis enrobez-le du mélange d'oignon et d'épices.

3. Laissez reposer la viande à température ambiante pendant 1 heure. Préchauffez le four à 350 °F (180 °C).

4. Enfournez et laissez cuire 2 heures en arrosant souvent du jus de cuisson.

Gigot rôti à la marocaine

Méchoui

- 1,5 kg (3 lb) d'épaule d'agneau entière
- 45 ml (3 c. à soupe) d'huile de canola
- 15 ml (1 c. à soupe) de paprika
- 5 ml (1 c. à café) de cumin moulu
- 15 ml (1 c. à soupe) de sel
- 5 ml (1 c. à café) de poivre du moulin

1. Dans un bol, mélangez l'huile, le paprika, le cumin, le sel et le poivre.

2. Déposez l'épaule d'agneau, laissée entière, dans un grand plat à rôtir. Badigeonnez la viande du mélange et réfrigérez pendant 3 heures.

3. Sortez la viande du réfrigérateur environ 30 minutes avant de la mettre au four.

4. Versez un verre d'eau dans le fond du plat et enfournez à four froid. Laissez cuire 2 heures, à 300 °F (150 °C).

Méchoui

Navarin d'agneau

- 2 kg (4 lb) d'épaule d'agneau désossée et coupée en cubes
- 5 ml (1 c. à café) de sucre
- 15 ml (1 c. à soupe) de farine
- 250 ml (1 tasse) de vin blanc sec
- 1 litre (4 tasses) de bouillon de boeuf
- 15 ml (1 c. à soupe) de concentré de tomates
- 2 gousses d'ail

- 6 carottes
- 6 navets
- 6 pommes de terre
- 12 oignons grelots
- 300 g (1 2/3 tasse) de haricots verts
- 300 g (2 tasses) de petits pois
- Huile d'olive

1. Dans une grande cocotte en fonte, faites revenir l'agneau dans l'huile d'olive.

2. Ajoutez le sucre et la farine et mélangez pour que tous les morceaux soient bien enrobés. Laissez colorer.

3. Versez 1e vin blanc et le bouillon dans lequel vous aurez délayé le concentré de tomates, pour que le liquide arrive à la même hauteur que la viande.

4. Ajoutez les gousses d'ail écrasées. Amenez à ébullition, puis baissez à feu doux et laissez mijoter 1 heure.

5. Coupez les carottes, les navets et les pommes de terre en morceaux d'égale grosseur. Dans une sauteuse, faites-les revenir avec les oignons grelots. Puis, versez le tout dans la cocotte. Poursuivez la cuisson encore 25 minutes.

6. Ajoutez les petits pois et les haricots verts blanchis et laissez cuire 5 minutes de plus.

Navarin d'agneau

Pain de viande d'agneau

- 1,5 kg (3 lb) d'agneau haché
- 1 pain de mie
- 2 oignons
- 4 gousses d'ail
- Le jus de 1 citron vert
- 5 ml (1 c. à café) de coriandre moulue

- 5 ml (1 c. à café) de cumin moulu
- 5 ml (1 c. à café) de poivre de cayenne
- 1 yaourt nature (portion individuelle)
- 1 oeuf
- Huile d'olive
- Sel et poivre

1. Coupez le pain de mie en tranches et passez ces dernières sous le gril jusqu'à ce qu'elles blondissent. Retirez du four et écrasez à l'aide d'un mortier ou d'un robot afin d'obtenir une chapelure fine.

2. Préchauffez le four à 350 °F (180 °C).

3. Hachez finement l'oignon et l'ail. Dans une poêle, faites-les revenir dans de l'huile d'olive. Lorsqu'ils sont tombés, mettez-les dans un grand bol.

4. Ajoutez l'agneau haché, les épices, la chapelure ainsi que le jus de citron, l'oeuf légèrement battu et le yaourt. Mélangez bien afin d'obtenir une pâte homogène.

5. Mettez dans un moule à pain de viande que vous aurez préalablement huilé avec de l'huile d'olive. Enfournez et laissez cuire 45 minutes.

Pain de viande d'agneau

Poitrine d'agneau farcie

- 1 poitrine d'agneau désossée
- 350 g (3/4 lb) de porc haché
- 350 g (3/4 lb) de chair à saucisse
- 13 gousses d'ail
- Persil
- 6 pommes de terre
- 1 verre de vin blanc sec
- Beurre
- Huile d'olive
- Sel et poivre

1. Préparer une farce dans un grand bol en mélangeant le porc haché et la chair à saucisse, 3 gousses d'ail écrasées et quelques branches de persil hachées.

2. Étalez sur la surface de travail la poitrine d'agneau et épongez-la soigneusement. Mettez la farce sur toute la surface, puis roulez la pièce de viande. Maintenez-la solidement attachée avec de la ficelle de cuisine.

3. Dans une grande cocotte allant au four, faites revenir l'agneau dans du beurre afin qu'il soit doré sur tous ses côtés.

4. Ajoutez autour les pommes de terre, que vous aurez coupées en 8 quartiers, et une dizaine de gousses d'ail en chemise. Arrosez d'un filet d'huile d'olive, de sel et de poivre puis enfournez à 350 °F (180 °C) pendant 1 heure.

5. Parsemez de persil ciselé avant de servir et arrosez du jus de cuisson que vous aurez déglacé avec un verre de vin blanc.

Poitrine d'agneau farcie

Ragoût d'agneau à la scarole

- 1,5 kg (3 lb) d'épaule d'agneau, coupée en gros cubes
- 2 oignons
- 3 carottes
- 4 pommes de terre
- 1/2 bouteille de vin rouge
- 500 ml (2 tasses) de bouillon de volaille
- 1 scarole
- Huile d'olive
- Sel et poivre

1. Préchauffez le four à 350 °F (180 °C).

2. Émincez les oignons. Pelez les carottes et coupez-les en rondelles. Pelez les pommes de terrre et coupez-les en dés.

3. Dans une grande cocotte, faites dorer les cubes de viande dans l'huile d'olive. Retirez-les et réservez.

4. Faites revenir les oignons. Ajoutez les carottes et les pommes de terre. Remettez les morceaux d'agneau, salez et poivrez.

5. Mouillez du vin et du bouillon de volaille. Couvrez et enfournez. Laissez cuire pendant 1 heure et demie.

6. Ajoutez alors la scarole, que vous aurez déchirée à la main grossièrement. Prolongez la cuisson encore d'une trentaine de minutes.

Ragoût d'agneau à la scarole

Épaule d'agneau Daniela

- 2 1/2 kg (5 lb) d'épaule d'agneau désossée
- 250 g (1/2 lb) de pancetta
- Huile d'olive ou de canola
- 1 gros oignon
- 3 branches de céleri
- 3 carottes
- 6 gousses d'ail

- 500 ml (2 tasses) de fond d'agneau
- 2 branches de thym frais
- 2 branches de romarin frais
- Le zeste de 1 citron bio
- 1/2 bouteille de vin blanc sec
- 20 pommes de terre nouvelles
- Sel et poivre

1. Coupez la pancetta en petits cubes.

2. Épluchez l'oignon, pelez les carottes, effilez le céleri. Hachez le tout en très petits dés.

3. Versez de l'huile dans une cocotte de fonte émaillée et faites-y revenir la pancetta.

4. Faites dorer les morceaux d'agneau. Retirez l'agneau et la pancetta de la cocotte.

5. Faites revenir les légumes dans le gras de cuisson.

6. Remettez l'agneau et la pancetta dans la cocotte.

7. Versez le fond d'agneau et la demi-bouteille de vin blanc.

8. Ajoutez les gousses d'ail pelées mais entières, le zeste du citron et les branches de thym et de romarin.

9. Laissez mijoter à feu moyen environ 3 heures.

10. Une heure avant la fin de la cuisson, ajoutez les pommes de terre.

11. Avant de servir, rectifiez l'assaisonnement. Servez la sauce à part.

Épaule d'agneau Daniela

Tajine au miel

- 2 kg d'épaule d'agneau désossée, coupée en petits cubes
- 1 oignon espagnol
- 20 oignons grelots
- 350 g (1 3/4 tasse) de pruneaux
- 250 g (3/4 tasse) de miel
- 1 bouquet garni
- 5 ml (1 c. à café) de gingembre en poudre
- 1 pincée de safran
- Sel et poivre

1. Épluchez les oignons grelots. Épluchez l'oignon espagnol et émincez-le.

2. Dans une grande cocotte allant au four, versez 2 L d'eau. Ajoutez l'oignon espagnol, la moitié du miel, le bouquet garni, le gingembre et le safran. Salez et poivrez. Portez à ébullition.

3. Plongez-y les cubes de viande et baissez le feu. Laissez mijoter doucement pendant 30 minutes.

4. Préchauffez le four à 350 °F (180 °C).

5. Retirez les morceaux de viande et faites réduire le bouillon de moitié.

6. Si vous possédez un tajine, mettez-y la viande et arrosez du bouillon. Sinon, remettez la viande dans la cocotte. Ajoutez les oignons grelots.

7. Couvrez et enfournez. Laissez cuire 1 heure.

8. Retirez du four et ajoutez le reste du miel et les pruneaux. Remettez au four pendant 20 minutes.

Tajine au miel

Le boeuf

Bœuf au porto

- 57 g (1/2 tasse) de farine
- 1 kg (2 lb) de bœuf (haut de surlonge, désossé), coupé en lanières
- 1 c. à soupe de beurre
- 2 c. à soupe d'huile d'olive
- 1 gros oignon, haché
- 3 grosses échalotes françaises, hachées
- 227 g (8 oz) de champignons de Paris tranchés
- 2 grosses tomates pelées, épépinées et coupées en petits morceaux
- 250 ml (1 tasse) de porto
- 1 boîte de 284 ml (10 oz) de consommé, non dilué

1. Préchauffez le four à 350 °F (180 °C).

2. Mettez la farine et le bœuf dans un sac de papier. Secouez le sac pour enrober la viande de farine.

3. Retirez l'excédent de farine de la viande. Dans un faitout, faites-la dorer, à feu moyen-élevé, dans le beurre et l'huile, une dizaine de minutes. Retirez la viande de la casserole et réservez.

4. Dans la même casserole, faites revenir les oignons et les échalotes jusqu'à ce qu'ils soient transparents. Incorporez les champignons et faites cuire 3 minutes. Incorporez les tomates et faites cuire 2 minutes. Remettez la viande dans la casserole. Versez le porto et le consommé. Remuez et couvrez.

5. Faites cuire au four 45 minutes ou jusqu'à tendreté de la viande.

6. Au moment de servir, vérifiez l'assaisonnement.

N.B. On peut remplacer le porto par du madère ou par du vin rouge.

Bœuf au porto

Casserole bœuf et légumes

- Huile d'olive
- 1 oignon, coupé en cubes
- 1 carotte, coupée en cubes
- 1 poireau, coupé en cubes
- 1 tige de céleri, coupée en cubes
- 2 gousses d'ail, dégermées et écrasées
- 1 contenant de champignons, tranchés

- 450 g (1 lb) de bœuf à braiser, coupé en cubes
- Farine tout usage
- 2 tiges de thym
- 750 ml (3 tasses) de bouillon de bœuf
- 2 c. à soupe de concentré de tomates

1. Dans une grande casserole, faites chauffer l'huile. Faites-y dorer l'oignon, la carotte, le poireau, le céleri et l'ail. Ajoutez les champignons et faites-les dorer. Retirez les légumes et réservez-les.

2. Enrobez le bœuf de farine. Dans la même casserole, ajoutez de l'huile, faites-la chauffer et faites-y dorer la viande.

3. Remettez les légumes dans la casserole. Ajoutez le thym, le bouillon et le concentré de tomates. Remuez et assaisonnez. Baissez le feu et laissez mijoter 1 h 30 ou jusqu'à tendreté de la viande.

Casserole bœuf
et légumes

Bœuf braisé au vin rouge et aux légumes

- 1 rôti d'épaule de bœuf, désossé, de 1,5 kg (3 lb)
- 2 carottes coupées en grosses tranches
- 2 tiges de céleri, coupées en grosses tranches
- 2 poireaux, coupés en gros morceaux
- 3 feuilles de laurier

- Gousses de 1 tête d'ail, coupées en deux et dégermées
- 8 tiges de thym
- 4 tiges de romarin
- 1 c. à thé de grains de poivre noir
- 1 c. à thé de graines de fenouil
- 1 bouteille de vin rouge

1. Dans un grand bol en verre, déposez la viande. Ajoutez les légumes, les feuilles de laurier, l'ail, les herbes, les grains de poivre et les graines de fenouil. Y verser le vin rouge et laissez mariner une nuit.

2. Préchauffez le four à 425 °F (220 °C).

3. Retirez la viande et les légumes de la marinade. Déposez dans une casserole et salez. Ajoutez suffisamment de marinade pour recouvrir la viande. Retirez les graines de fenouil, l'ail et les herbes du reste de la marinade. Ajoutez-les à la viande et aux légumes et laissez cuire au four 15 minutes.

4. Baissez le four à 300 °F (150 °C). Couvrez et laissez cuire au four 4 heures ou jusqu'à ce que la viande soit très tendre, retournez la viande une fois en cours de cuisson.

5. Gardez la viande et les légumes au chaud.

   Dans une autre casserole, tamisez le jus de cuisson. Portez à ébullition, baissez le feu et laissez mijoter jusqu'à consistance de sauce.

6. Tranchez la viande et nappez de sauce.

Bœuf braisé au vin rouge
et aux légumes

Cigares
au chou

Farce :
- 2 oignons, émincés
- 750 g (1 1/2 lb) de bœuf haché, mi-maigre
- 210 g (1 tasse) de riz cuit
- Jus de 4 citrons
- 1 c. à soupe de sauce tomate
- 1 bouquet de persil, haché
- Huile d'olive
- Sel et poivre du moulin

Cigares au chou :
- 1 chou vert, frisé
- 1 oignon, émincé
- Huile

Sauce :
- 1 c. à soupe de sauce tomate
- 375 ml (1 1/2 tasse) d'eau
- Jus de 1 citron
- 1 pincée de cumin moulu
- Sel et poivre du moulin
- Huile
- 3 gousses d'ail, grossièrement hachées

1. **Farce :** Dans une grande poêle, faites fondre les oignons dans l'huile, puis faites-y dorer la viande. Déposez le tout dans un grand bol. Incorporez le reste des ingrédients de la farce.

2. **Cigares au chou :** Effeuillez le chou, jetez les feuilles les plus dures. Coupez les feuilles restantes en deux et retirez la nervure centrale. Faites blanchir ces feuilles environ 2 minutes dans l'eau bouillante salée. Égouttez-les. Répartissez la farce dans chaque feuille et enroulez délicatement. Dans une cocotte épaisse, faites revenir l'oignon dans l'huile. Y disposez les cigares.

3. Diluez la sauce tomates dans l'eau. Ajoutez le jus du citron, le cumin, le sel et le poivre. Versez sur les feuilles de chou. Arroser d'un filet d'huile et parsemez d'ail haché.

4. Couvrez et portez à ébullition. Baissez le feu et laissez mijoter 1 heure ou jusqu'à ce que les cigares au chou soient à point.

5. Goûtez et rectifiez l'assaisonnement.

Cigares au chou

Bœuf garni de haricots verts à la mijoteuse

- 1,25 kg (2 1/2 lb) de bœuf d'extérieur de ronde ou de cubes de bœuf à braiser
- Sel et poivre du moulin
- 65 ml (1/4 tasse) d'huile d'olive
- 1 oignon espagnol, haché
- 3 gousses d'ail, dégermées et hachées
- 2 c. à thé de piment de la Jamaïque
- 500 ml (2 tasses) de bouillon de boeuf
- 125 ml (1/2 tasse) de pâte de tomate
- 500 g (1 lb) de haricots verts, parés

1. Coupez le rôti en cubes d'environ 1 po (3 cm) ou faites-le faire par votre boucher. Salez et poivrez. Dans une poêle, faites dorer la viande dans l'huile. Déposez dans la mijoteuse.

2. Dans la même poêle, faites revenir l'oignon et l'ail. Incorporez le piment de la Jamaïque et laissez cuire, en remuant, 1 minute. Incorporez le bouillon et le concentré de tomates. Portez à ébullition. Mettre dans la mijoteuse.

3. Couvrez et laissez cuire 6 heures à basse intensité ou jusqu'à ce que la viande soit à votre goût.

4. Faites cuire les haricots verts 5 minutes. Égouttez et laissez refroidir. Coupez en diagonale et mettez dans la mijoteuse.

Couvrez et laissez cuire 15 minutes.

Roulades de bœuf aux champignons

- 1 kg (2 lb) de bœuf d'intérieur de ronde pour roulades (tranches de 1/4 po (0,5 cm))
- 3 c. à soupe de beurre doux
- 4 c. à soupe d'huile d'olive
- 1 oignon, moitié haché, moitié tranché
- Sel et poivre du moulin

- 500 g (1 lb) de champignons, finement hachés
- 250 ml (1 tasse) de persil haché
- 65 ml (1/4 tasse) de chapelure
- 2 gousses d'ail, émincées
- 1 boîte de 398 ml (14 oz) de sauce tomate
- 125 ml (1/2 tasse) de vin blanc

1. Préchauffez le four à 350 °F (180 °C).

2. Mettez les tranches de bœuf entre 2 feuilles de pellicule plastique et aplatissez-les à l'aide d'un maillet pour qu'elles soient d'égale épaisseur. Réservez-les

3. **Farce :** Dans une grande poêle, faites fondre 1 c. à soupe de beurre et 1 c. à soupe d'huile. Faites-y revenir l'oignon haché jusqu'à ce qu'il soit transparent. Salez et poivrez. Faites-y revenir les champignons jusqu'à évaporation de leur liquide et incorporez le persil. Déposez dans un bol.

4. Répartissez cette farce dans les tranches de viande, parsemez de chapelure et enroulez-les. Attachez les bouts à l'aide de petites brochettes.

5. Dans la poêle, faites fondre 1 c. à soupe d'huile et 1 c. à soupe de beurre. Faites-y dorer les roulades de bœuf. Disposez dans un plat à four pouvant les contenir en une couche.

6. Dans une petite poêle, faites chauffer le reste de l'huile et du beurre. Faites-y revenir l'oignon tranché et l'ail. Incorporez la sauce tomate et le vin et réchauffez le tout. Nappez-en les roulades.

7. Couvrez de papier d'aluminium et faites cuire au four environ 1 h 15.

8. Retirez les petites brochettes et servez.

Roulades de bœuf
aux champignons

Pot-au-feu au vin rouge et aux porcini

- 250 ml (1 tasse) de bouillon
- 1 sachet de champignons porcini, séchés
- Sel et poivre noir du moulin
- 1 pointe de poitrine de bœuf, désossée de 2 kg (4 lb)
- 2 c. à soupe d'huile
- 1 gros oignon, haché
- 2 tiges de céleri, tranchées mince

- 3 gousses d'ail, dégerméeset écrasées
- 1 c. à soupe de feuilles de marjolaine, hachées + tiges de marjolaine pour garnir
- 1 boîte de tomates entières de 796 ml (28 oz), égouttées
- 250 ml (1 tasse) de vin rouge

1. Préchauffez le four à 300 °F (150 °C)

2. Dans une casserole, faites mijoter le bouillon et retirez du feu. Ajoutez les champignons, couvrez et laissez-les se réhydrater une vingtaine de minutes. À l'aide d'une écumoire, déposez les champignons sur une planche à découper et hachez-les. Réservez les champignons et le bouillon séparément.

3. Salez et poivrez le bœuf. Dans la casserole, faites chauffer l'huile, sur feu élevé et faites-y dorer le bœuf. Mettez la viande dans une assiette et réservez-la.

4. Dans la casserole, faites caraméliser l'oignon et le céleri, salés et poivrés. Ajoutez l'ail, la marjolaine hachée et les porcini et faites-les sauter. Incorporez les tomates et brisez-les. Laissez cuire quelques minutes, en remuant et en décollant les sucs de cuisson, avec une cuillère de bois. Versez le vin et portez à ébullition 5 minutes. Tamisez le liquide de trempage es champignons et versez dans la cocotte. Portez à ébullition 5 minutes.

5. Retournez le bœuf dans la cocotte, couvrez et laissez cuire au four pendant 1 h 30. Retournez la viande et laissez cuire pendant 1 h 30. Mettez le bœuf sur une planche à découper et recouvrez-le d'une tente de papier d'aluminium.

6. Dégraissez le liquide de cuisson et portez-le à ébullition. Laissez bouillir jusqu'à ce qu'il ait réduit à environ 1 litre (4 tasses). Salez et poivrez.

7. Tranchez la viande. Déposez-la dans une assiette de service, nappez-la de sauce et garnissez-la de tiges de marjolaine.

Pot-au-feu au vin rouge et aux porcini

Rôti de bœuf au thym et à l'ail

- 1 rôti de côtes de bœuf de 2,5 kg (5 lb (4 côtelettes))
- Huile d'olive
- Sel et poivre noir du moulin

- 1 bouquet de thym
- 3 têtes d'ail, coupées en deux
- 1 zeste râpé, de citron

1. Préchauffez le four à 425 °F (220 °C).

2. Retirez l'excès de gras de la viande et badigeonnez-la d'huile. Salez et poivrez.

3. Déposez le thym dans un bol et recouvrez-le d'eau bouillante, cette pratique empêche le thym de brûler à la cuisson. Égouttez-le et asséchez-le. Déposez les tiges sur le dessus de la viande et fixez-les, entre chaque côtelette, avec de la ficelle de cuisine.

4. Faites chauffer une grande poêle antiadhésive et faites-y dorer le bœuf.

5. Disposez les têtes d'ail sur une grille, déposée dans une plaque à four. Mettez-y le bœuf et pressez le zeste de citron dans la viande. Couvrez toute la plaque de papier d'aluminium et laissez cuire au four 30 minutes.

6. Retirez le papier d'aluminium. Baissez le four à 350 °F (180 °C) et faites cuire la viande 55 minutes pour un rôti saignant, plus longtemps, si désiré.

7. Fermez le four. Remettez le papier d'aluminium sur la viande et laissez reposer une dizaine de minutes. Retirez les ficelles, détachez les côtelettes et répartissez-les dans des assiettes de service.

Garnissez d'ail.

Bœuf à la mode

- 2 kg (4 lb) de palette
- 4 tranches épaisses de lard salé
- 1 L (4 tasses) de vin rouge
- 15 ml (1 c. à soupe) d'huile d'olive
- 2 oignons
- 1 kg (2 lb) de carottes

- 4 gousses d'ail
- 1 bouquet garni
- Quelques grains de poivre entiers
- Huile d'olive
- Sel et poivre

1. Pelez les carottes et coupez-les en rondelles. Épluchez l'oignon et émincez-le. Épluchez l'ail.

2. Dans un grand saladier, versez le vin et l'huile d'olive, puis ajoutez les carottes, les oignons, l'ail, le bouquet garni et quelques grains de poivre. Ajoutez la viande. Couvrez d'une pellicule plastique et laissez mariner au réfrigérateur pendant 12 heures.

3. Préchauffez le four à 350 °F (180 °C).

4. Retirez la viande de la marinade et épongez-la soigneusement.

5. Filtrez la marinade et réservez d'un côté les légumes égouttés et de l'autre, le liquide.

6. Dans une grande cocotte allant au four, faites chauffer de l'huile d'olive. Lorsqu'elle est chaude, faites revenir le bœuf. Retirez la viande de la cocotte. Jetez le gras de cuisson.

7. Disposez les tranches de lard au fond de la cocotte. Puis, mettez par-dessus le bœuf et les légumes égouttés de la marinade. Mouillez du liquide de la marinade. Salez et poivrez. Couvrez et amenez à ébullition.

8. Enfournez et laissez cuire 3 heures.

Bœuf à la mode

Bœuf au chou

- 2 kg (4 lb) de palette coupée en cubes
- 1 chou
- 1 oignon
- 5 ml (1 c. à café) de paprika
- 30 ml (2 c. à soupe) de crème à cuisson 35 %
- 4 pommes de terre
- Huile d'olive
- Sel et poivre

1. Lavez le chou, coupez le en 8 quartiers. Épluchez l'oignon et hachez-le finement.

2. Dans une grande cocotte à fond épais, faites revenir les cubes de viande dans l'huile d'olive. Assaisonnez du paprika.

3. Ajoutez l'oignon et faites suer.

4. Ajoutez le chou et mélangez bien.

5. Mouillez d'eau jusqu'à mi-hauteur. Salez et poivrez. Amenez à ébullition. Baissez à feu doux et laissez mijoter 2 heures.

6. Lavez et épluchez les pommes de terre. Faites-les cuire à la vapeur pendant 30 minutes. Réservez.

7. Ajoutez la crème, rectifiez l'assaisonnement. Laissez réchauffer 5 minutes sans laisser bouillir.

8. Servez avec les pommes de terre vapeur.

Bœuf au chou

Bœuf bouilli

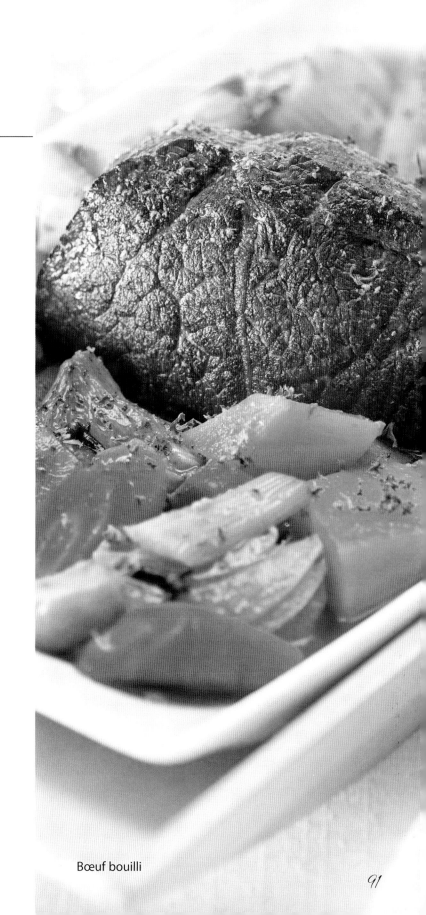

- 2 kg (4 lb) de macreuse
- 6 carottes
- 4 navets
- 4 poireaux (blancs seulement)
- 2 branches de céleri
- 1 bouquet garni
- 2 oignons
- 2 clous de girofle
- 2 gousses d'ail
- Sel et poivre

1. Lavez et épluchez les carottes et les navets. Coupez les carottes en tronçons et les navets en quartiers.

2. Épluchez les oignons et l'ail. Piquez l'un des oignons des clous de girofle.

3. Coupez les blancs de poireaux en deux dans le sens de la longueur puis en deux dans le sens de la largeur. Lavez-les soigneusement.

4. Lavez et effilez le céleri. Coupez-le en tronçons.

5. Remplissez d'eau une grande cocotte. Plongez-y les carottes, les navets, les poireaux, le céleri, le bouquet garni, les oignons, et les gousses d'ail entières. Salez et poivrez. Amenez à ébullition.

6. Déposez le boeuf dans la cocotte. Baissez à feu doux et laissez mijoter pendant 3 heures.

Bœuf bouilli

Bœuf braisé aux aromates

- 1,5 kg (3 lb) de boeuf à braiser, coupé en gros cubes
- 2 oignons
- 6 gousses d'ail
- 1 feuille de laurier
- 15 ml (1 c. à soupe) de basilic frais
- 15 ml (1 c. à soupe) de romarin frais
- 15 ml (1 c. à soupe) de sarriette fraîche
- 15 ml (1 c. à soupe) de thym frais
- 2 dl (200ml) vin blanc
- 2 dl (200ml) bouillon de volaille

1. Épluchez et émincez les oignons. Épluchez et hachez l'ail. Hachez finement les herbes fraîches.

2. Dans une grande cocotte, faites revenir les cubes de boeuf dans l'huile d'olive.

3. Ajoutez les oignons et l'ail et faites suer.

4. Ajoutez les herbes, le vin blanc et le bouillon.

5. Amenez à ébullition, puis baissez à feu doux. Laissez mijoter à couvert pendant 2 h 30.

Bœuf braisé aux aromates

Bœuf bourguignon

Pour la marinade :
- 1 gros oignon
- 3 échalotes françaises
- 1 bouquet garni
- 3 cuillerées à soupe d'huile d'olive
- 1 bouteille de bon vin de Bourgogne
- 2 kg (4 lb) de bœuf à braiser coupé en moyens cubes
- 30 ml (2 c. à soupe) d'huile d'olive

- 15 ml (1 c. à soupe) de concentré de tomates
- 2 gousses d'ail
- 20 oignons grelots
- 5 ml (1 c. à café) de sucre
- 15 ml (1 c. à soupe) de beurre
- 250 g (1/2 lb) de lardons
- 20 champignons de Paris
- Sel et poivre

1. Épluchez et émincez l'oignon et les échalotes. Déposez-les dans un grand saladier, avec le bouquet garni, l'huile et le vin. Ajoutez les cubes de bœuf et enrobez-les bien de la marinade. Recouvrez le bol d'une pellicule plastique et laissez mariner au réfrigérateur pendant 12 heures.

2. Sortez les morceaux de bœuf de la marinade et épongez-les soigneusement.

3. Dans une poêle, à feu vif, faites revenir les cubes de viande dans l'huile de tous les côtés. Réservez.

4. Filtrez la marinade. Réservez le jus.

5. Dans une grande cocotte, faites suer dans l'huile l'oignon et les échalotes de la marinade.

6. Ajoutez les cubes de bœuf, le jus de la marinade, le concentré de tomates et l'ail écrasé. Amenez à ébullition, puis baissez à feu doux. Laissez mijoter doucement à couvert pendant 2 h 30. Pendant la cuisson, prenez soin d'écumer et de dégraisser de temps en temps.

7. Glacez les oignons grelots : épluchez-les puis mettez-les dans une poêle assez grande pour qu'ils ne forment qu'une couche. Déposez-y le beurre, le sucre et de l'eau jusqu'à mi-hauteur. Faites cuire à feu moyen jusqu'à ce que l'eau soit totalement évaporée et que les oignons aient bruni. Versez-les alors dans la cocotte.

8. Faites revenir les lardons dans l'huile pendant 5 minutes, puis ajoutez les champignons. Lorsque ceux-ci sont dorés, ajoutez-les à la cocotte.

9. Laissez cuire le tout à découvert encore une vingtaine de minutes. Rectifiez l'assaisonnement.

Trucs :

- Il est important de bien faire dorer les cubes de bœuf avant la longue cuisson afin qu'il ne se défassent pas. Pour ce faire, vous pouvez partager la viande en deux. Faites d'abord revenir une moitié, réservez, puis faites revenir le reste, pour que tous les morceaux soient en contact avec le fond de la poêle.

- Choisissez un bon bourgogne, puisque c'est le vin qui donne son goût au plat. Meilleur sera le vin, meilleur sera le plat !

Bœuf bourguignon

Bœuf miroton

- 2 kg de boeuf bouilli
  (voir recette page 91)
- 2 oignons
- 30 ml (2 c. à soupe) de beurre
- 15 ml (1 c. à soupe) de farine
- 500 ml (2 tasses) de bouillon de boeuf
- 50 g (1 tasse) de chapelure
- Huile d'olive
- Quelques branches de persil ciselé
- Sel et poivre

1. Préchauffez le four à 450 °F (230 °C).

2. Coupez le boeuf bouilli en tranches fines. Disposez-les dans un grand plat à rôtir, en les faisant se chevaucher. Réservez.

3. Épluchez et hachez finement les oignons.

4. Dans une grande poêle, faites chauffer l'huile d'olive. Quand elle est bien chaude, faites suer les oignons. Saupoudrez de farine et mélangez bien. Faites blondir.

5. Ajoutez le bouillon. Portez à ébullition, puis nappez-en le boeuf.

6. Couvrez de la chapelure et enfournez. Laissez gratiner (environ 10 minutes).

7. Parsemez du persil ciselé.

Daube de bœuf aux carottes

- 1,5 k (3 lb) d'épaule de boeuf en cubes de grosseur moyenne
- 3 tranches de lard salé
- 1,5 kg (3 lb) de carottes
- 2 oignons
- 2 feuilles de laurier
- 250 ml (1 tasse) de vin blanc sec
- 250 ml (1 tasse) de bouillon de boeuf
- 30 ml (2 c. à soupe) de persil haché
- Huile d'olive
- Sel et poivre

1. Coupez les carottes en rondelles, hachez les oignons et le persil.

2. Dans une grande cocotte, faites revenir le boeuf dans l'huile d'olive. Une fois que la viande est bien dorée de tous les côtés, sortez les morceaux et réservez. Jetez le gras de cuisson.

3. Disposez les tranches de lard au fond de la cocotte. Placez la viande par-dessus. Arrosez du vin blanc et du bouillon. Ajoutez le laurier et laissez mijoter à feu doux, à couvert, pendant 1 heure.

4. Ajoutez les carottes et les oignons finement hachés. Salez et poivrez. Laissez mijoter de nouveau 1 heure.

5. Au moment de servir, parsemez de persil.

Bœuf miroton

Filet de bœuf aux shitakés

- 1,5 kg (3 lb) de filet de boeuf
- 250 ml (1 tasse) de vin blanc sec.
- 1 bouquet garni
- 3 échalotes françaises

- 100 g (1 1/2 tasse) de shitakés
- 30 ml (2 c. à soupe) de persil haché
- Beurre

1. Dans un grand saladier, recouvrez le filet de boeuf du vin blanc et ajoutez le bouquet garni. Couvrez d'une pellicule plastique et laissez mariner au réfrigérateur pendant 12 heures.

2. Préchauffez le four à 325 °F (160 °C).

3. Épluchez les échalotes et coupez-les en brunoise avec les shitakés et le persil.

4. Dans une poêle, faites revenir cette brunoise dans une noix de beurre. Salez et poivrez. Laissez cuire une dizaine de minutes. Retirez du feu.

5. Retirez la viande de la marinade et épongez-la soigneusement.

6. Pratiquez une fente sur toute la longueur du filet afin d'y mettre le mélange à base de shitakés.

7. Ficelez le morceau de viande afin qu'il demeure bien fermé.

8. Placez la viande dans un plat à rôtir. Salez et poivrez. Disposez des noix de beurre sur le dessus. Mouillez de la marinade (sans le bouquet garni).

9. Enfournez et laissez cuire 25 minutes.

Filet de bœuf farci
aux shitakés

99

Bœuf à la Guiness

- 1,5 kg (3 lb) de poitrine de bœuf ficelée
- 500 ml (2 tasses) de bière Guiness
- 2 oignons
- 4 carottes
- 4 panais

- 1 feuille de laurier
- 15 ml (1 c. à soupe) de thym frais
- 5 ml (1 c. à café) de concentré de tomates
- 500 ml de bouillon de bœuf

1. Préchauffez le four à 375 °F (190 °C).

2. Pelez les oignons et coupez-les en gros dés. Pelez les carottes, les pommes de terre et les panais et coupez-les en tronçons.

3. Dans une grande cocotte allant au four, faites revenir le boeuf pour qu'il soit bien doré de tous les côtés.

4. Ajoutez les oignons.

5. Quand les oignons commencent à colorer, ajoutez les carottes, les pommes de terre et les panais. Faites revenir 4 minutes.

6. Diluez le concentré de tomates dans un peu d'eau chaude. Ajoutez à la viande, avec la bière, le bouillon, le laurier et le thym. Salez et poivrez.

7. Enfournez et laissez cuire 1 heure.

Bœuf à la Guiness

Pot-au-feu

- 2 kg (4 lb) de palette
- 4 à 6 os à moelle
- 250 g (1/2 lb) de lard salé
- 3 oignons
- 2 clous de girofle
- 2 gousses d'ail
- 2 poireaux
- 3 feuilles de laurier
- 1 chou moyen

- 6 grosses carottes
- 1 kg (2 lb) de haricots verts
- 2 navets moyens
- 3 panets
- 1 courge poivrée
- 3 épis de maïs
- 6 pommes de terre
- Gros sel de mer
- Quelques grains de poivre noir

1. Pelez les oignons, coupez-en deux en quartiers, piquez l'autre des clous de girofle. Épluchez les gousses d'ail, que vous laisserez entières. Coupez les poireaux en deux dans le sens de la longueur et nettoyez-les soigneusement.

2. Remplissez d'eau froide une très grosse casserole. Ajoutez les oignons, l'ail, les poireaux, le sel, les grains de poivre et les feuilles de laurier.

3. Plongez-y le morceau de palette et le lard salé.

4. Mettez sur le feu et portez à ébullition. Lorsque l'eau bout, baissez à feu moyen et laissez mijoter ainsi pendant 2 heures.

5. Pendant ce temps, préparez vos légumes. Coupez la courge poivrée en quatre et évidez-la sans la peler. Coupez les épis de maïs en deux. Pelez et coupez les autres légumes en gros morceaux. Attachez les haricots verts en petits paquets avec de la ficelle de cuisine ou du fil blanc.

6. Lorsque la viande a cuit 2 heures, ajoutez les légumes et portez de nouveau à ébullition. Laissez bouillir encore 1 heure.

7. Trente minutes avant la fin de la cuisson, ajoutez les os à moelle.

8. Dressez dans un grand plat de service, la viande au milieu, les légumes autour et le bouillon à part.

Pot-au-feu

Bœuf aux poivrons

- 1,5 kg (3 lb) de rôti de boeuf
- 4 poivrons rouges
- 1 petit piment fort
- 4 gousses d'ail
- 15 ml (1 c. à soupe) d'origan
  rais ou séché
- 2 oignons
- 15 ml (1 c. à soupe) de concentré
  de tomates
- 250 ml (1 tasse) de vin rouge
- 250 ml (1 tasse) de bouillon de boeuf

1. Préchauffez le four à 350 °F (180 °C).

2. Épluchez les oignons et coupez-les en 8 quartiers.

3. Pelez les poivrons : pour ce faire, faites-les noircir sous le gril. Puis, mettez-les dans un sac de plastique. Au bout de 10 minutes, sortez-les : la peau s'enlèvera d'elle-même.

4. Coupez les poivrons en languettes et hachez le piment.

5. Dans une grande cocotte allant au four, faites revenir la viande pour qu'elle soit dorée de tous les côtés.

6. Ajoutez les oignons.

7. Quand les oignons sont dorés, ajoutez les poivrons, le piment, les gousses d'ail en chemise, le concentré de tomates dilué dans un peu d'eau chaude, le bouillon et le vin. Assaisonnez de l'origan. Salez et poivrez.

8. Enfournez et laissez cuire 1 heure.

Jarret de bœuf à la tomate

- 1,5 kg (3 lb) de jarret de boeuf,
  désossé et coupé en petits cubes
- 12 tomates
- 4 oignons
- 15 ml (1 c. à soupe) de persil ciselé
- 15 ml (1 c. à soupe) de coriandre ciselée
- 5 ml (1 c. à café) de curcuma
- 5 ml (1 c. à café) de gingembre
  en poudre
- Huile d'olive
- Sel et poivre

1. Faites blanchir les tomates afin de les peler plus facilement. Épépinez-les et coupez-les en dés.

   Épluchez les oignons et coupez-les en dés.

   Lavez et ciselez le persil et la coriandre.

2. Dans une grande cocotte à fond épais, déposer les cubes de boeuf, les tomates, les oignons, le persil, la coriandre, le curcuma et le gingembre.

3. Recouvrez d'eau froide. Salez et poivrez.

4. Portez à ébullition puis baissez à feu doux et laissez mijoter doucement pendant 4 heures.

Bœuf aux poivrons

Le veau

- 1 tranche de 1,5 kg (3 lb)
  de filet de veau
- Huile d'olive
- 1 oignon haché finement
- 2 tranches de bacon,
  hachées finement
- 250 ml (1 tasse) de vin blanc
- 125 ml (1/2 tasse) de bouillon

Farce :
- 2 tranches de pain rassis, écroûté
- 125 ml (1/2 tasse) de lait
- 225 g (1/2 lb) de bœuf haché,
  mi-maigre
- 150 g (1/3 lb) de chair à saucisse
- 2 c. à soupe de parmesan râpé
- 1 poignée de pistaches
- 1 bouquet de persil, haché
- 1 œuf battu
- Sel et poivre du moulin

1. Préchauffez le four à 350 °F (180 °C).

2. **Farce :** Faites tremper la mie de pain dans le lait. Mélangez les viandes, le parmesan, les pistaches, le persil et l'œuf. Salez et poivrez. Incorporez le pain.

3. À l'aide d'un maillet, aplatissez le veau jusqu'à ce qu'il soit d'égale épaisseur et étalez-y la farce. Enroulez-le et ficelez-le avec de la ficelle de cuisine.

4. Dans une cocotte, mettez un filet d'huile et faites rissoler l'oignon, le bacon et le veau. Versez le vin blanc et faites réduire de moitié. Versez le bouillon. Couvrez et faites cuire au four 2 heures ou jusqu'à ce que la viande soit à point, surveillez la cuisson et arrosez de jus de cuisson de temps à autre.

5. Découpez en fines tranches et nappez de sauce.

Roulé de veau
aux pistaches

Veau aux herbes et à la crème

- 1 c. à soupe de beurre
- 1 c. à soupe d'huile d'olive
- 1 kg (2 lb) de cubes d'épaule de veau
- 2 c. à soupe de persil haché
- 2 c. à soupe de thym haché

- 2 c. à soupe de romarin haché
- 250 ml (1 tasse) de vin blanc
- Jus de 1/2 citron
- 3 c. à soupe de crème 35 %, à cuisson
- Sel et poivre du moulin

1. Préchauffez le four à 400 °F (200 °C).

2. Dans une cocotte, faites chauffer le beurre et l'huile. Faites-y revenir les cubes de veau. Incorporez les herbes. Versez la moitié du vin blanc, couvrez et faites cuire au four 30 minutes.

3. Baissez le four à 350 °F (180 °C). Sortez la cocotte du four, remuez la viande, couvrez et faites cuire 30 minutes.

4. Sortez la casserole du four, ajoutez le reste du vin, le jus et la crème. Salez et poivrez. Réchauffez sur feu vif, en remuant.

5. Servez ce veau sur du riz.

Veau aux herbes
et à la crème

Veau farci aux kumquats

- 250 g (1/2 lb) de kumquats
- 1 c. à soupe de sucre
- 125 ml (1/2 tasse) d'eau
- 6 tiges de céleri, coupées en petits morceaux
- 2 tranches de pain de mie, écroûté
- Jus de 1 orange

- Sel et poivre du moulin
- 1 rôti de veau de 1,5 kg (3 lb)
- 6 échalotes sèches
- 125 ml (1/2 tasse) de porto blanc
- 1 c. à soupe de beurre
- Huile d'olive

1. La veille du repas, coupez les kumquats en deux et épépinez-les. Déposez-les dans un contenant en verre ou en plastique avec couvercle et saupoudrez-les de sucre. Couvrez et réfrigérez.

2. Le jour du repas, préchauffez le four à 350 °F (180 °C).

3. Mettez les kumquats et leur jus dans une casserole. Versez-y l'eau et faites-les mijoter, à découvert, à feu bas, 15 minutes. Égouttez les kumquats et réservez le jus.

4. **Farce :** ébouillantez le céleri 5 minutes, égouttez-le et hachez-en la moitié. Émiettez le pain dans le jus d'orange. Hachez la moitié des kumquats et mélangez-les avec le pain et le céleri haché. Salez et poivrez.

5. Fendez le veau en deux sans le détacher ou demandez à votre boucher de le faire. Ouvrez la pièce de viande. Salez-la, poivrez-la, farcissez-la, enroulez-la et ficelez-la avec de la ficelle de cuisine.

6. Dans la casserole, faites dorer la viande dans 1 c. à soupe d'huile et la moitié du beurre. Ajoutez-y les échalotes et le reste du céleri. Remuez, ajoutez le reste des kumquats et une petite quantité de leur jus. Couvrez et faites cuire au four 1 heure.

7. Retirez le rôti de la casserole et gardez-le au chaud sous une tente de papier d'aluminium.

8. Déglacez le jus de cuisson au porto et faites-le réduire de moitié. Ajoutez le reste du jus des kumquats et portez à ébullition. Incorporez le reste du beurre, en fouettant jusqu'à émulsion.

9. Déposez le rôti dans une assiette de service. Tranchez-le et nappez-le de sauce.

Veau farci aux kumquats

Veau à la marocaine

- 6 grosses tomates
- 500 g (1 lb) de veau à braiser, coupé en cubes
- Farine tout usage
- 2 oignons, hachés
- 2 gousses d'ail, dégermées et hachées
- 2 c. à soupe d'huile d'olive
- 1 c. à soupe de concentré de tomates
- 1 branche de céleri, émincée

- 1 litre (4 tasses) de bouillon de légumes
- 1 c. à thé de ras-el-hanout
- Sel
- 1 boîte de 540 ml (19 oz) de pois chiches, égouttés
- 2 pommes de terre moyennes, pelées et coupées en cubes
- 5 tiges de feuilles de coriandre hachées + quelques feuilles pour la garniture

1. Ébouillantez, pelez, épépinez et hachez les tomates.

2. Enrobez les cubes de veau de farine. Dans une cocotte, faites-les dorer dans l'huile, avec les oignons et l'ail. Ajoutez les tomates, le concentré de tomates, le céleri, le bouillon, le ras-el-hanout et le sel. Portez à ébullition, en remuant. Couvrez la casserole et laissez mijoter 1 heure, à feu doux.

3. Ajoutez les pois chiches, les pommes de terre et la moitié de la coriandre. Laissez cuire 20 minutes, en ajoutant de l'eau si nécessaire.

4. Répartissez la préparation dans des assiettes creuses, sur du couscous, et parsemez de feuilles de coriandre.

Veau à la marocaine

Veau aux légumes

- 1 kg (2 lb) de cubes de veau, à braiser
- Farine tout usage
- 1 c. à soupe d'huile d'olive
- 1 c. à soupe de beurre
- 5 gros oignons, hachés
- 2 gousses d'ail, dégermées et coupées en deux
- 5 carottes, tranchées
- 5 tiges de céleri, tranchées
- 5 pommes de terre, tranchées
- 1 boîte de 796 ml (28 oz) de tomates
- Bouillon de légumes ou de poulet
- Sel et poivre noir du moulin

1. Préchauffez le four à 350 °F (180 °C)

2. Enrobez les cubes de veau de farine. Dans une cocotte, faites-les revenir dans l'huile et le beurre. Retirez la viande de la casserole et réservez-la.

3. Dans la même cocotte, faites revenir les oignons avec l'ail, puis les carottes, le céleri et les pommes de terre. Ajoutez de l'huile, si nécessaire. Incorporez les tomates et versez suffisamment de bouillon pour recouvrir le tout. Vérifiez l'assaisonnement.

4. Remettez le veau dans la casserole et remuez. Couvrez et faites cuire au four 2 heures ou jusqu'à ce que la viande soit à point.

Veau braisé au citron et aux pignons, sauce au vin blanc

- 1 rôti de veau de 1,25 kg (2 1/2 lb), coupé en tranches de 2 cm (1 po) d'épaisseur
- 4 c. à soupe de farine tout usage
- 2 c. à soupe de beurre
- 2 c. à soupe d'huile d'olive
- 1 tige de thym frais, haché ou 1 pincée de thym séché
- 125 ml (1/2 tasse) de vin blanc
- 500 ml (2 tasses) de bouillon de poulet
- 2 zestes de citron de 5 cm (2 po) de longueur, prélevés à l'économe
- 1 c. à soupe de noix de pignons, grossièrement hachés
- Sel et poivre noir du moulin

1. Coupez chaque tranche de veau en deux. Enfarinez-les.

2. Dans une cocotte, faites dorer les morceaux de veau dans le beurre et l'huile. Ajoutez le thym et le vin. Portez à ébullition, à découvert, et laissez bouillir 3 minutes. Versez le bouillon. Réduisez le feu, couvrez et laissez mijoter environ 1 h 30 ou jusqu'à tendreté de la viande, en remuant de temps à autre. À mi-cuisson, ajoutez les zestes de citron ; 10 minutes avant la fin, ajoutez les pignons.

3. Au moment de servir, remuez, salez et poivrez.

4. Accompagnez de pâtes.

Veau aux légumes

Ragoût de veau aux porcini, au romarin et à la crème

- 1 sachet de champignons porcini, séchés
- 375 ml (1 1/2 tasse) d'eau tiède
- 1 kg (2 lb) de cubes de veau
- 3 c. à soupe de farine tout usage
- 65 ml (1/4 tasse) d'huile d'olive
- 250 ml (1 tasse) de vin blanc
- 125 ml (1/2 tasse) de crème 35 %, à cuisson

- 125 ml (1/ 2 tasse) de lait
- 8 tomates séchées, coupées en minces lanières
- 1 petit piment rouge, paré, égrené et coupé en deux
- 2 tiges de romarin
- 3/4 c. à thé de sel

1. Faites réhydrater les porcini dans l'eau, une vingtaine de minutes. Retirez-les et pressez-les au-dessus d'un bol. Hachez-les. Tamisez le liquide de trempage dans un filtre à café et réservez-le.

2. Asséchez les cubes de veau et enrobez-les de farine. Dans une cocotte, faites-les cuire dans l'huile, sur feu moyen-élevé. À l'aide d'une écumoire, retirez-les de la casserole et déposez-les dans un bol.

3. Déglacez la cocotte au vin, en raclant le fond à la cuillère de bois pour décoller les sucs de cuisson. Ajoutez le veau, le liquide de trempage des porcini, la crème, le lait, les tomates, le piment et le romarin. Portez à ébullition, baissez le feu et laissez mijoter 1 h 15 ou jusqu'à tendreté de la viande. Retirez le romarin et le piment. Salez et servez.

Ragoût de veau aux porcini,
au romarin et à la crème

Jarrets de veau aux tomates en cocotte, garniture de gremolata

- 2 c. à soupe d'huile d'olive
- 2 jarrets de veau, coupés en morceaux
- Sel et poivre noir du moulin
- 1 tige de céleri, finement hachée
- 2 oignons, finement hachés
- 1 c. à thé de thym, haché
- 1 /2 bouteille de vin blanc
- 1 boîte de 796 ml (28 oz) de tomates italiennes
- 250 ml (1 tasse) de bouillon de poulet
- Gremolata

1. Dans une grande casserole épaisse, faites chauffer l'huile. Faites-y dorer les jarrets. Assaisonnez-les, retirez-les de la casserole et réservez-les.

2. Dans la même casserole, faites revenir le céleri et les oignons. Ajoutez le thym et faites revenir 5 minutes. Montez le feu. Versez le vin, les tomates et le bouillon. Portez le tout à ébullition et baissez le feu. Remettez les jarrets dans la casserole, couvrez-la et laissez mijoter 2 heures, 10 minutes avant la fin de la cuisson, incorporez les carottes.

3. Répartissez les morceaux de jarrets dans les assiettes de service.

4. **Gremolata :** Mélangez 2 zestes râpés de citron, 1 gousse d'ail, hachée et 4 c. à soupe de persil italien, haché. Parsemez de la gremolata sur chaque portion.

Veau à l'italienne, à la mijoteuse

- 1 c. à soupe d'huile d'olive
- 90 g (3 oz) de pancetta, coupée en petits morceaux
- 1 kg (2 lb) de cubes de veau, à braiser
- 2 c. à soupe de farine
- 4 blancs de poireau, hachés
- 4 carottes, coupées en cubes
- 3 tiges de céleri, coupées en cubes
- 3 gousses d'ail, dégermées et émincées
- 1 c. à soupe de feuilles de romarin, hachées
- 1 c. à thé de sel
- Poivre noir du moulin
- 125 ml (1/2 tasse) de vin rouge
- 125 ml (1/2 tasse) de bouillon de poulet

1. Dans une poêle, faites chauffer l'huile sur feu moyen et faites-y dorer la pancetta. À l'aide d'une écumoire, retirez-la de la poêle et déposez-la dans la mijoteuse.

2. Enrobez les cubes de veau de farine et faites-les dorer dans la poêle. À l'aide d'une écumoire, déposez-les dans la mijoteuse.

3. Dans la poêle, faites revenir les poireaux, les carottes et le céleri. Incorporez l'ail, le romarin, le sel et le poivre et laissez cuire 1 minute. Versez le vin et le bouillon. Laissez cuire, en remuant, jusqu'à épaississement. Déposez la préparation dans la mijoteuse et remuez.

4. Couvrez la mijoteuse et laissez cuire : à basse intensité 8 heures ou à haute intensité 4 heures.

Jarrets de veau aux tomates en cocotte, garniture de gremolata

Vitello tonnato

- 1 carotte, hachée grossièrement
- 1 oignon, haché grossièrement
- 1 tige de céleri, hachée grossièrement
- 3 gousses d'ail, dégermées et hachées
- 2 clous de girofle
- 1 rôti de veau de 1 kg (2 lb)
- 1 bouteille de vin blanc sec
- 1 c. à thé de sel
- 3 filets d'anchois, à l'huile
- 1 boîte de thon (170 g), égoutté
- 2 jaunes d'œufs
- 3 c. à soupe de câpres
- 2 citrons
- Environ 250 ml (1 tasse) d'huile d'olive

1. Dans un plat en verre, déposez les légumes, l'ail, les clous de girofle et le veau. Versez le vin. Couvrez et laissez mariner 24 heures.

2. Mettez le tout dans une cocotte et salez. Ajoutez suffisamment d'eau pour couvrir la viande, si nécessaire. Portez à ébullition, baissez le feu et laissez mijoter 1 heure. Laissez refroidir la viande dans le liquide de cuisson.

3. Rincez, épongez et hachez les filets d'anchois. Mettez-les dans le robot culinaire. Ajoutez le thon, les jaunes d'œufs, 2 c. à soupe de câpres et de jus de 1/2 citron. Incorporez graduellement quelques cuillerées de liquide de cuisson. Ajoutez l'huile, petit à petit, en actionnant jusqu'à consistance de sauce. Salez et poivrez.

4. Égouttez la viande. Tranchez-la finement et disposez-la dans un plat de service. Nappez de sauce. Coupez le reste du citron en quartiers et garnissez-en le veau. Parsemez-le du reste des câpres.

Ragoût de veau, à l'italienne

- 2 c. à soupe de beurre
- 1 oignon rouge moyen, coupé en cubes
- 1 tige de céleri, coupée en cubes
- 1 tige de romarin
- 1 kg (2 lb) d'épaule de veau, coupée en cubes
- Farine tout usage
- 1 gousse d'ail, émincée
- Sel et poivre noir du moulin
- 500 ml (2 tasses) de chianti ou autre vin rouge italien
- 250 ml (1 tasse) de bouillon de bœuf
- 65 ml (1/4 tasse) de concentré de tomates
- 1 carotte, coupée en cubes
- 2 pommes de terre, coupées en cubes

1. Dans une cocotte, faites fondre le beurre, sur feu moyen. Faites-y revenir l'oignon, le céleri et le romarin, gardez-en pour la garniture, jusqu'à ce que l'oignon soit transparent. Retirez le romarin.

2. Enrobez les cubes de veau de farine et ajoutez-les aux oignons. Incorporez l'ail, le sel et le poivre. Faites dorer le veau, en remuant. Baissez le feu. Versez le vin et le bouillon.

   Laissez mijoter de 1 h 30 à 2 heures ou jusqu'à tendreté de la viande et consistance de sauce.

3. Incorporez le concentré de tomates, la carotte et les pommes de terre. Laissez cuire 15 minutes ou jusqu'à ce que les légumes soient tendres.

4. Parsemez de feuilles de romarin et servez.

Escalopes de veau farcies

- 1 kg (2 lb) d'escalopes de veau
- Huile d'olive et beurre (moitié-moitié)
- 250 ml (1 tasse) de vin blanc
- 250 ml (1 tasse) de bouillon de poulet

Farce :
- 500 g (1 lb) de chair à saucisse
- 250 g (1/2 lb) de jambon cuit, haché
- 1 tige de céleri, hachée
- 12 olives kalamata, dénoyautées et hachées
- 2 c. à soupe de persil haché
- 1 gousse d'ail, dégermée et hachée
- Sel et poivre noir du moulin
- 1 œuf

1. Préchauffez le four à 350 °F (175 °C).

2. **Farce :** mélangez les ingrédients de la farce et répartissez-la dans les escalope. Enroulez-les et ficelez-les avec de la ficelle de cuisine.

3. Faites chauffer l'huile et faites-les dorer. Retirez la ficelle.

4. Dans une grande casserole, disposez les escalopes. Versez le vin et le bouillon. Couvrez et faites cuire au four 1 heure ou jusqu'à tendreté de la viande.

Escalopes de veau farcies

Mijoté de veau à la provençale

- 2 c. à soupe de feuilles de romarin + 3 tiges, coupées en morceaux
- 2 c. à soupe de feuilles de thym + 6 tiges
- 65 ml (1/4 tasse) d'huile d'olive
- 1 rôti de veau de 10 kg (5 lb)
- Sel et poivre noir du moulin
- 6 c. à soupe de beurre, coupé en 6 morceaux
- 24 gousses d'ail, dégermées et écrasées

1. Dans un petit bol, mélangez les feuilles de romarin et de thym avec 2 c. à soupe d'huile.

2. Mettez le veau dans un plat en verre. Badigeonnez de préparation romarin-thym-huile. Couvrez et réfrigérez 2 heures ou une nuit.

3. Avant cuisson, retirez la viande du réfrigérateur et laissez-la à température ambiante 1 heure.

4. Préchauffez le four à 350 °F (180 °C).

5. Saler et poivrez le veau. Dans une cocotte, faites chauffer le reste de l'huile et faites-y dorer la viande, sur feu élevé. Retirez du feu.

6. Disposez les tiges de romarin et de thym sur le dessus et parsemez de noisettes de beurre. Entourez de gousses d'ail. Faites cuire au four 1 heure ou jusqu'à tendreté de la viande, en arrosant de jus de cuisson, de temps à autre.

7. Retirez du four et laissez reposer 10 minutes. Tranchez la viande et disposez-la dans une assiette de service. Entourez d'ail et nappez de sauce.

Veau aux poivrons multicolores, à l'italienne

- 1,5 kg (3 lb) de cubes de veau
- Farine tout usage
- Huile d'olive
- 1 gros oignon, haché
- 3 gousses d'ail, dégermées et hachées
- 1 c. à thé de thym séché
- Sel et poivre noir du moulin
- 250 ml (1 tasse) de bouillon ou de vin rouge
- 4 tomates, pelées, égrenées et hachées
- 4 poivrons (1 rouge, 1 orange, 1 jaune et 1 vert), parés et coupés en cubes
- Persil haché

1. Enrobez les cubes de veau de farine. Dans une cocotte, faites chauffer l'huile, sur feu élevé, et faites-y dorer le veau. Retirez-le du feu et réservez-le.

2. Réduisez à feu moyen. Dans la cocotte, ajoutez de l'huile et faites-y revenir l'oignon, l'ail, le thym, le sel et le poivre. Versez le bouillon. Incorporez le veau et les tomates. Portez à ébullition, sur feu élevé. Réduisez à feu moyen-bas, couvrez et laissez mijoter de 1 h 15 à 1 h 30 ou jusqu'à tendreté de la viande.

3. **Avant de servir :** dans une grande poêle, faites dorer les poivrons dans l'huile. Réduisez à feu moyen-bas et laissez-les mijoter jusqu'à ce qu'ils soient cuits al dente. Incorporez au veau ainsi que le persil haché. Rectifiez l'assaisonnement et servez.

Veau aux poivrons
multicolores à l'italienne

Veau aux citrons

- 1 rôti de veau d'environ 1,5 kg (3 lb)
- 3 citrons bio
- 6 feuilles de citronnier (facultatif)
- 3 tiges de thym
- 3 tiges de sauge
- 2 c. à soupe d'huile d'olive
- 2 c. à soupe de beurre
- 2 c. à soupe de sucre
- Sel et poivre noir du moulin
- 125 ml (1/2 tasse) d'eau

1. Préchauffez le four à 350 °F (180 °C).

2. Dans une cocotte, faites dorer le rôti dans l'huile. Retirez-le du feu et réservez-le.

3. Coupez 2 citrons en fines rondelles. Entourez le rôti de ficelle de cuisine et glissez-y les rondelles de citron ainsi que les feuilles de citronnier.

4. Dans la cocotte, faites cuire le beurre et le sucre jusqu'à légère caramélisation.

5. Retirez la cocotte du feu et versez-y doucement l'eau mélangée au jus de 1 citron.

6. Remettez le rôti dans la cocotte et enrobez-le du mélange beurre-sucre caramélisé. Salez et poivrez. Ajoutez la sauge et le thym.

7. Couvrez et laissez cuire au four pendant 1 h 15 ou jusqu'à tendreté de la viande, retournez le rôti deux fois en cours de cuisson.

8. Retirez les ficelles, les rondelles de citron et les feuilles de citronnier et servez.

Sauté de veau à la méditerranéenne

- 4 c. à soupe d'huile d'olive
- 1 gros oignon espagnol, haché
- 1 c. à soupe de basilic séché
- 1 kg (2 lb) de cubes d'épaule de veau
- 2 poivrons rouges, parés et coupés en lanières
- 3 grosses tomates, pelées, égrenées et coupées en morceaux
- 125 ml (1/2 tasse) de vin blanc
- Sel et poivre du moulin

1. Dans une cocotte, faites chauffer 2 c. à soupe d'huile. Faites-y revenir l'oignon avec la moitié du basilic, jusqu'à ramollissement.

2. Dans une poêle, faites dorer les cubes de veau dans 2 c. à soupe d'huile. Égouttez-les et mettez-les dans la cocotte.

3. Dans la même poêle, faites revenir les lanières de poivrons. Mettez-les dans la cocotte. Incorporez le reste de basilic et les tomates.

4. Versez le vin blanc, salez et poivrez. Couvrez et laissez mijoter 1 heure ou jusqu'à ce que la viande soit tendre et que le liquide et les légumes aient la consistance d'une sauce épaisse.

5. Remuez et servez.

Veau aux citrons

Jarret de veau à la tunisienne

- 1,25 kg (2 1/2 lb) de jarret de veau, désossé et coupé en morceaux
- Huile d'olive
- 1 c. à soupe de farine
- 250 ml (1 tasse) de bouillon
- Sel

Marinade :
- 2 oignons hachés
- 2 bâtons de cannelle
- 10 grains de poivre noir
- 1 c. à thé de gingembre moulu
- 1 c. à thé de cassonade
- Jus et zeste râpé de 1 orange
- 1 bouteille de vin rouge

1. **La veille du repas :** dans un bol en verre, déposez la viande. Ajoutez les ingrédients de la marinade et recouvrez le tout d'une pellicule plastique. Laissez mariner une nuit.

2. **Le jour du repas :** égouttez la viande. Dans une cocotte, saisissez la viande dans un peu d'huile, à feu vif. Parsemez de farine et faites dorer la viande. Versez la marinade, portez à ébullition et laissez bouillir 5 minutes. Incorporez le bouillon et le sel.

3. Couvrez et laissez mijoter pendant 1 h 30, sur feu moyen-doux. En cours de cuisson, retirez l'écume qui pourrait se former à la surface.

4. Tamisez la sauce. Servez ce jarret à la tunisienne avec du couscous.

Jarret de veau
à la tunisienne

Blanquette de veau

- 1,5 kg (3 lb) de tendron ou d'épaule de veau
- 2 carottes
- 1 branche de céleri
- 1 blanc de poireau
- 1 oignon
- 2 clous de girofle
- 30 ml (2 c. à soupe) de farine

- 1 L (4 tasses) de bouillon de volaille
- 20 champignons de Paris
- 2 jaunes d'œufs
- 250 ml (1 tasse) de crème 35 %
- 1/2 citron
- 4 branches de persil plat
- Beurre
- Sel et poivre

1. Détaillez la viande en gros cubes. Lavez et coupez en tronçons les carottes, le blanc de poireau et le céleri effilé. Épluchez l'oignon, et piquez-le des clous de girofle.

2. Dans une grande cocotte, saisissez la viande dans le beurre. Avant qu'elle ne blondisse, saupoudrez de farine et remuez bien. Ajoutez l'oignon, le poireau, les carottes et le céleri. Salez et poivrez.

3. Recouvrez de bouillon de volaille et laissez mijoter à feu doux pendant 2 heures.

4. Retirez la viande et faites réduire le bouillon à feu vif, pendant une vingtaine de minutes.

5. Coupez les champignons en lamelles et, dans une petite poêle, faites-les dorer dans le beurre.

6. Dans un bol, délayez la crème avec les jaunes d'oeufs. Puis, hors du feu, versez dans le bouillon. Pressez un demi-citron pour aciduler un peu la sauce.

7. Dans un grand plat, dressez la viande et les champignons nappés de la sauce. Parsemez de persil ciselé. Servez avec du riz blanc

Note : On peut remplacer le veau par de la volaille, du lapin, de l'agneau ou encore par un poisson blanc.

Blanquette de veau

Osso bucco d'Elena

- 1,5 kg (3 lb) de jarret de veau
- 15 ml (1 c. à soupe) de farine non blanchie
- 1 oignon
- 4 carottes
- 2 branches de céleri
- 2 gousses d'ail
- 125 ml (1/2 tasse) de vin blanc sec
- 125 ml (1/2 tasse) de bouillon de poulet
- 500 ml (2 tasses) de tomates en conserve
- Huile d'olive
- Sel et poivre

Pour la gremolata :
- Le zeste de 1 citron bio
- Le zeste de 1 orange bio
- 4 gousses d'ail
- 30 ml (2 c. à soupe) de persil ciselé
- 125 ml (1/2 tasse) de chapelure

1. Préchauffez le four à 350 °F (180 °C).

2. Pelez les carottes, effilez le persil, épluchez les oignons. Coupez-les en brunoise.

3. Épluchez l'ail et hachez-le finement.

4. Versez la farine dans un sac de plastique. Salez et poivrez.

5. Enfarinez les morceaux de viande. Secouez l'excédent.

6. Dans une cocotte allant au four, faites brunir le veau dans l'huile d'olive. Retirez-le et réservez.

7. Dans le gras de cuisson, faites revenir les légumes.

8. Remettez la viande et mouillez avec le vin blanc, le bouillon

    et les tomates (sans leur jus). Rectifiez l'assaisonnement.

9. Couvrez et enfournez. Laissez cuire 2 h 30.

10. Pendant ce temps, faites la gremolata. Hachez très finement les zestes de citron et d'orange, l'ail et le persil. Mélangez à la chapelure.

11. Une quinzaine de minutes avant la fin de la cuisson, saupoudrez la gremolata sur la viande. Terminez la cuisson.

Osso bucco d'Elena

Le porc

Porc 24 heures

- 1 épaule de porc de 3 kg (6 lb), désossée et roulée
- 3 gousses d'ail, dégermées et tranchées
- Minces lanières du zeste de 1 citron
- 1 tige de romarin (feuilles)
- 2 piments rouges, parés et tranchés finement
- 2 c. à soupe d'huile d'olive
- Sel et poivre du moulin

1. La veille du repas, préchauffez le four à 425 °F (220 °C).

2. Dans la partie la plus maigre de la viande, percez des fentes et insérez-y de l'ail, des zestes de citron, des feuilles de romarin et des tranches de piment. Épongez la viande avec des essuie-tout et badigeonnez-la d'huile d'olive. Salez et poivrez. Faites-la rôtir au four, gras au fond, 30 minutes.

3. Baissez le four à 225 °F (110 °C) et laissez cuire pendant 23 h 30, en arrosant copieusement toutes les heures, pas la nuit, mais avant d'aller au lit et au lever.

4. Au moment du repas, retirez la plupart du jus de cuisson, dégraissez-le et réservez-le. Laissez reposer le porc au four, porte entrouverte, une vingtaine de minutes. Transférez le rôti dans un plat et servez, en arrosant chaque portion de jus de cuisson.

Fèves au bacon et au sirop d'érable

- 500 g (1 lb) de haricots blancs
- 1 oignon, coupé en quartiers
- 250 g (1/2 lb) de grosses tranches de bacon, coupées en larges lanières
- 1 feuille de laurier et 3 tiges de thym, attachées avec une ficelle de cuisine
- 125 ml (1/2 tasse) de sirop d'érable
- 2 c. à soupe de moutarde de Dijon
- 250 ml (1 tasse) de concentré de tomates
- 2 c. à thé de sel
- Poivre du moulin

1. La veille du repas, recouvrez les haricots d'eau froide et laissez-les tremper toute la nuit. Égouttez.

2. Le jour du repas, préchauffez le four à 300 °F (150 °C).

3. Mettez les haricots dans un faitout. Recouvrez d'eau, portez à ébullition et laissez-les cuire 10 minutes. Baissez le feu et laissez mijoter 20 minutes ou jusqu'à ce que les haricots soient à moitié cuits. Égouttez.

4. Incorporez le bacon. Écartez le centre de la préparation pour y déposer le bouquet d'herbes. Ramenez les haricots par-dessus. Réservez.

5. Fouettez le sirop d'érable, la moutarde de Dijon, le concentré de tomates, le sel et le poivre. En napper les haricots. Versez suffisamment d'eau pour les recouvrir.

6. Couvrez et laissez cuire environ 5 heures, vérifiez la cuisson de temps en temps et ajoutez une petite quantité d'eau si les haricots ont tendance à sécher.

7. Au moment de servir, retirez le bouquet d'herbes et vérifiez l'assaisonnement.

Ragoût de porc au céleri-rave et à l'orange

- 3 blancs de poireaux
- 2 carottes pelées
- 2 c. à soupe d'huile d'olive
- 1 kg (2 lb) de cubes d'épaule de porc
- 2 petits (ou un gros) céleris-raves, pelés et coupés en cubes
- 2 gousses d'ail, dégermées et hachées
- 250 ml (1 tasse) de vermouth blanc
- 250 ml (1 tasse) de bouillon de poulet
- Jus et zeste de 1 orange
- 2 c. à soupe de sauce soya
- Tiges de romarin (feuilles seulement)
- Sel et poivre du moulin
- Pain croûté

1. Préchauffer le four à 275 °F (140 °C).

2. Coupez chaque poireau en 5 morceaux et les carottes en morceaux d'environ la même taille que les poireaux.

3. Dans un faitout, faites chauffer 1 c. à soupe d'huile d'olive. Faites-y brunir les cubes de porc, puis déposez-les dans une assiette, à l'aide d'une écumoire. Dans la même casserole, ajoutez 1 c. à soupe d'huile d'olive, les poireaux, les carottes et les céleris-raves. Faites dorer le tout quelques minutes. Ajoutez l'ail et faites-le dorer 1 minute. Ajoutez le porc, le vermouth, le bouillon, le jus et le zeste d'orange, la sauce soya, le romarin, le sel et le poivre.

Remuez et portez à ébullition.

4. Couvrez et faites cuire au four 2 heures ou jusqu'à ce que le porc soit très tendre et que les poireaux se défassent, remuer à mi-cuisson. Laissez reposer 10 minutes avant de répartir dans des bols. Accompagnez de pain croûté pour tremper dans la sauce.

Fèves au bacon et
au sirop d'érable

Pain de viande en croûte

- 1 oignon haché
- 3 gousses d'ail, dégermées et pressées
- 2 c. à soupe de feuilles de romarin, hachées (ou 1 c. à soupe de romarin séché)
- 2 c. à soupe de persil, haché
- 1 c. à soupe d'huile d'olive
- Chair de 1 saucisse italienne, douce
- 250 g (1/2 lb) de veau haché
- 8 tranches de prosciutto, coupées en petits morceaux
- 2 carottes coupées en dés
- 1 branche de céleri, coupée en dés
- 4 c. à soupe de vin rouge
- 3 c. à soupe de concentré de tomates
- 500 ml (2 tasses) de bouillon de poulet
- Poivre noir du moulin
- Spaghettis cuits
- Parmesan râpé

1. Dans un faitout, à feu moyen, faites revenir l'oignon, l'ail, le romarin et le persil dans l'huile d'olive, jusqu'à ce que l'oignon soit légèrement doré. Ajoutez les viandes mélangées et faites-les cuire. Incorporez les dés de carottes et de céleri et faites-les cuire 10 minutes. Ajoutez le vin, le concentré de tomates, le bouillon et le poivre. Portez à ébullition.

2. Baissez le feu, couvrez, en laissant passer la vapeur, et mijotez pendant 1 h 30 ou jusqu'à ce qu'il ne reste presque plus de liquide.

3. Vérifiez l'assaisonnement et incorporez à des spaghettis chauds. Répartissez dans de grandes assiettes creuses et parsemez de parmesan râpé.

Spaghettis en sauce aux trois viandes

- 1 gros oignon, haché
- 1 gousse d'ail, hachée
- 2 c. à soupe d'huile d'olive
- 1 kg (2 lb) de viandes hachées mélangées : porc, agneau, bœuf
- 1 c. à thé de sauge
- 1 c. à thé de marjolaine
- Sel et poivre du moulin
- 3 œufs
- 3 tranches de pain de seigle frais, écroûté et coupé en petits morceaux
- 125 ml (1/2 tasse) de lait
- Pâte feuilletée congelée du commerce, dégelée
- 1 œuf battu

1. Préchauffez le four à 350 °F (180 °C).

2. Faites revenir l'oignon et l'ail dans l'huile d'olive jusqu'à ce que l'oignon soit transparent. Dans un grand bol, mélangez au reste des ingrédients, sauf la pâte feuilletée et l'œuf battu.

3. Mettez la préparation dans un moule à pain et faites cuire au four 1 heure ou jusqu'à ce qu'un couteau, inséré au centre, en ressorte chaud. Laissez tiédir 1 heure. Démoulez dans un plat plus grand afin que le gras puisse s'écouler. Retirez le gras et réfrigérez le pain 1 heure.

4. Abaissez la pâte froide (tiède elle se travaille difficilement) sur une surface enfarinée, jusqu'à obtenir un rectangle assez grand pour envelopper le pain de viande. Déposez le pain de viande au centre de l'abaisse et enveloppez-le comme un paquet. Sceller les extrémités avec de l'œuf battu. Retournez le tout sur une plaque graissée et badigeonnez d'œuf battu. Faites cuire au four à 375 °F (190 °C) 30 minutes ou jusqu'à ce que la pâte soit dorée.

5. Servez chaud ou froid, accompagné de marinades.

Spaghetti en sauce
aux trois viande

Porc en sauce aux pommes, au fenouil et au vin blanc

- 1 c. à soupe de graines de coriandre
- 1 c. à soupe de graines de fenouil
- 1 c. à thé de gros sel
- 1 c. à soupe de grains de poivre noir
- 6 gousses d'ail, hachées
- 3 c. à soupe d'huile d'olive
- 1 épaule de porc de 3 kg (6 lb), désossée et roulée
- 1 bouteille de vin blanc sec
- 3 pommes pelées et hachées
- 500 ml (2 tasses) de fenouil, haché
- 1 gros oignon, haché

1. Préchauffez le four à 350 °F (180 °C).

2. Réduisez la coriandre, le fenouil, le sel et le poivre au robot. Ajoutez l'ail et actionnez jusqu'à formation d'une pâte. Mettez dans un bol et incorporez graduellement l'huile d'olive, en fouettant jusqu'à émulsion. Enrobez le porc de cette préparation.

3. Dans une casserole épaisse couverte, portez le vin à ébullition.

4. Dans une cocotte, déposez les pommes, le fenouil et l'oignon, en une couche. Arrosez de vin et déposez-y le porc. Couvrez et laissez cuire 3 heures ou jusqu'à tendreté de la viande.

5. Déposez le rôti dans une assiette, recouvrez d'une tente de papier d'aluminium et gardez au chaud.

6. Dans une grande poêle, tamiser le liquide de cuisson. Retirez le gras de la surface, portez à ébullition et laissez réduire jusqu'à 750 ml (3 tasses), environ 20 minutes.

7. Tranchez le porc et présentez la sauce en saucière.

Rôti de porc aux abricots

- 1 boîte de moitiés d'abricots en sirop léger de 398 ml (14 oz)
- 2 c. à soupe d'huile
- 1 c. à soupe de moutarde de Dijon
- Sel et poivre du moulin
- 1 rôti de porc, désossé d'environ 1,5 kg (3 lb)
- 1 oignon, émincé
- 2 gousses d'ail, dégermées et émincées
- 5 feuilles de sauge
- 1 c. à soupe de beurre

1. Préchauffez le four à 350 °F (180 °C).

2. Prélevez 125 ml (1/2 tasse) de sirop de la boîte d'abricots.

3. Mélangez l'huile, la moutarde, le sel et le poivre.

4. Déposez le porc dans un plat à four. Badigeonnez-le du mélange huile-moutarde-sel-poivre. Ajoutez l'oignon, l'ail, la sauge et le sirop. Faites cuire au four 40 minutes, en arrosant de temps à autre.

5. Ajoutez les abricots égouttés. Parsemez de noisettes de beurre. Salez, poivrez et laissez cuire 20 minutes.

6. Recouvrez le rôti de papier d'aluminium et laissez-le reposer au four 10 minutes avant de le découper.

Rôti de porc
aux abricots

Daube de porc

- 1 c. à soupe d'huile d'olive
- 1 épaule de porc, désossée et roulée d'environ 3 kg (6 lb)
- 375 ml (1 1/2 tasse) de bouillon

Marinade :
- 1 bouteille de vin rouge
- 375 ml (1 1/2 tasse) d'huile d'olive
- 6 tomates italiennes, coupées en deux sur la longueur
- 6 gousses d'ail, dégermées et écrasées
- 2 carottes tranchées
- 4 tiges de céleri, tranchées
- 1 blanc de poireau, tranché
- 1 c. à thé de cumin moulu
- 1/2 bouquet de menthe (feuilles) hachée
- 3 tiges de thym
- 2 feuilles de laurier

1. **La veille du repas :** mélangez les ingrédients de la marinade. Dans une grande poêle épaisse, faites chauffer 1 c. à soupe d'huile d'olive et faites-y brunir le porc. Laissez-le tiédir et ajoutez-le à la marinade. Réfrigérez 24 heures.

2. **Le jour du repas :** préchauffez le four à 350 °F (180 °C).

3. Retirez le porc de la marinade et réservez-le.

4. Dans une cocotte, portez la marinade à ébullition 15 minutes, retirer l'écume qui pourrait se former à la surface. Versez le bouillon et portez à ébullition. Ajoutez la viande. Couvrez et faites cuire au four 3 heures, en retournant la viande à mi-cuisson. Retirez le porc de la cocotte et gardez-le au chaud, sous une tente de papier d'aluminium.

5. Tamisez le liquide de cuisson dans une autre casserole. Portez à ébullition et laissez-le bouillir de 15 à 20 minutes. Vérifiez l'assaisonnement.

6. Tranchez le rôti et nappez-le de sauce.

Daube de porc

Filet de porc
à la chinoise

Filet de porc
à la chinoise

- 1 filet de porc de 1 kg (2 lb)
- 1 c. à soupe d'huile végétale
- 4 échalotes sèches, tranchées grossièrement
- 1 racine de gingembre, pelée et tranchée grossièrement
- 125 ml (1/2 tasse) de sauce soya, foncée
- 125 ml (1/2 tasse) de vin de riz ou de vin blanc
- Lanières de zeste de 1/2 orange
- 1 c. à soupe de sucre
- 500 ml (2 tasses) d'eau
- 4 bok choys parés
- 2 bouquets de cresson, parés
- 1 c. à soupe de fécule de maïs

1. Dans une cocotte, faites dorer le filet de porc dans l'huile végétale, environ 10 minutes. Retirez le gras de la poêle. Ajoutez les échalotes, le gingembre, la sauce soya, le vin, le zeste et le sucre. Versez l'eau et portez à ébullition. Baissez le feu, couvrez et laissez mijoter 45 minutes ou jusqu'à ce que la viande soit cuite.

2. Retirez la viande de la casserole et gardez-la au chaud sous une tente de papier d'aluminium. Tamisez le jus de cuisson, puis retournez dans la casserole. Portez à ébullition et laissez bouillir 5 minutes ou jusqu'à ce que le liquide ait réduit légèrement. Baissez le feu. Incorporez les bok choys et laissez mijoter 3 minutes. Incorporez le cresson et cuisez jusqu'à léger affaissement. Retirez le cresson et les bok choys de la casserole, à l'aide d'une écumoire, et déposez-les sur un plateau de service.

3. Dissolvez la fécule dans 1 c. à soupe d'eau. Fouettez dans le jus de cuisson et cuisez, en fouettant, jusqu'à épaississement.

4. Tranchez le porc et servez entouré des légumes et nappé de sauce.

Choucroute
à l'alsacienne

- 1,2 kg (2 1/2 lb) de choucroute en conserve
- 250 g (1/2 lb) de tranches de bacon
- 1 kg (2 lb) de carré de porc, fumé
- 1 kg (2 lb) de poulet
- 2 oignons, piqués de 2 clous de girofle chacun
- 3 gousses d'ail, dégermées et écrasées
- Herbes séchées au goût
- 3 carottes
- 20 grains de poivre
- 10 baies de genièvre
- 500 ml (2 tasses) de vin d'Alsace
- 100 g (1/4 lb) de graisse d'oie
- 6 petites saucisses de Francfort

1. Préchauffez le four à 250 °F (120 °C).

2. Lavez la choucroute à grande eau et égouttez-la.

3. Garnissez le fond et les parois d'une grande casserole épaisse de tranches de bacon.

4. Étendez-y la moitié de la choucroute, puis le reste du bacon, le carré de porc et le poulet. Ajoutez les oignons, l'ail, les herbes, les carottes, le poivre et les baies de genièvre. Recouvrez avec le reste de la choucroute. Versez le vin blanc. Ajoutez la graisse d'oie. Couvrez et faites cuire au four 3 heures.

5. Retirez les oignons et les carottes.

6. Présentez la choucroute dans un plat de service. Garnissez avec les viandes, coupées en morceaux.

7. Faites cuire les saucisses de Francfort et ajoutez-les aux viandes.

8. Accompagnez de pommes de terre bouillies et de moutarde de Dijon.

Choucroute
à l'alsacienne

Cochon de lait, rôti au four

- 250 g (1/2 lb) de lard gras
- Gousses de 1 tête d'ail, dégermées et légèrement écrasées
- 4 clous de girofle, écrasés
- 1 cochon de lait de 5 kg (10 lb)
- Sel

- 1/2 bouteille de vin blanc sec
- 250 g (1/2 lb) d'oignons tranchés
- 1 c. à soupe de persil haché
- 1 c. à soupe d'origan séché
- Sel et poivre du moulin

1. Préchauffez le four à 450 °F (230 °C).

2. Dans une poêle, faites fondre le lard. Ajoutez la moitié des gousses d'ail et des clous de girofle. Gardez au chaud.

3. Faites une incision dans le ventre du cochon de lait ou demandez à votre boucher de le faire. Gardez le dos du cochon de lait intact, mais ouvrez le ventre. Salez. Déposez le porcelet, côté ventre, dans une grande rôtissoire, beurrée. Versez le vin et ajoutez 1 c. à soupe d'eau. Cuisez au four 10 minutes. Réduisez le four à 350 °F (180 °C) et laissez rôtir jusqu'à ce que la chair commence à brunir. Ne la laissez pas coller à la rôtissoire. Tournez le porcelet de côté et percez la peau à l'aide d'une grosse fourchette.

   Continuez de cuire, en badigeonnant souvent de gras de lard à l'ail, pendant 2 h 30 ou jusqu'à ce que la peau du porcelet soit dorée et croustillante.

4. Retirez du four. Badigeonnez de lard à l'ail, salez et poivrez. Réservez au chaud sous une tente d'aluminium.

5. Dans une poêle, faites revenir les oignons. Incorporez le persil, l'origan, le reste de l'ail et des clous. Versez un jet de vin blanc. Faites cuire 5 minutes et incorporez au jus de cuisson.

6. Découpez le cochon de lait et nappez de sauce. Accompagnez de pommes de terre persillées et d'une salade verte.

Cochon de lait,
rôti au four

145

Goulash à la hongroise, à la mijoteuse

- 750 ml (3 tasses) d'oignon haché
- 1 poivron rouge ou vert, paré et haché
- 3 gousses d'ail, dégermées et émincées
- 1,5 kg (3 lb) de cubes de porc à braiser
- Farine tout usage
- 1 c. à soupe de beurre
- 1 c. à soupe d'huile
- 1 boîte de 156 ml (5,5 oz) de concentré de tomates
- 125 ml (1/2 tasse) d'eau
- 4 c. à thé de paprika hongrois ou régulier
- 1 pincée de sel
- 1 c. à thé de poivre noir du moulin

1. Dans la mijoteuse, déposez les oignons, le poivron et l'ail.

2. Enrobez les cubes de viande de farine et faites-les dorer dans le beurre et l'huile. Déposez sur les légumes.

3. Mélangez le concentré de tomates, l'eau, le paprika, le sel et le poivre. En napper la viande.

4. **Cuire dans la mijoteuse :** à basse intensité 10 heures ou à haute intensité 6 heures. Remuez et servez.

5. Accompagnez de nouilles au beurre et d'un bol de crème sure.

N.B. On peut remplacer le porc par du bœuf.

Beakehoff

- 500 g d'épaule de porc
- 500 g d'épaule d'agneau
- 500 g de palette de bœuf
- 1 kg de pommes de terre
- 4 ou 5 oignons
- 2 gousses d'ail
- 50 cl de vin blanc sec
- 1 bouquet garni
- Sel et poivre

1. **La veille du repas :** détaillez la viande en morceaux égaux.

2. Mettez-la dans un saladier avec un peu de vin, 2 oignons coupés grossièrement, l'ail, le bouquet garni et du poivre. Couvrez hermétiquement et faites mariner le tout pendant 24 heures au réfrigérateur.

3. **Le jour du repas :** préchauffez le four à 350 °F (180 °C).

4. Épluchez les pommes de terre et coupez-les en tranches minces à l'aide d'une mandoline. Émincez les 2 ou 3 oignons qui restent.

5. Retirez la viande de la marinade.

6. Dans une cocotte de fonte émaillée, disposez une couche de pommes de terre sur laquelle vous verserez toute la viande, que vous recouvrirez d'une couche d'oignons. Ajoutez le reste des pommes de terre, puis le reste d'oignons.

7. Mouillez avec le vin blanc et un peu d'eau si besoin.

8. Mettez son couvercle à la cocotte et enfournez pour 2 h 30 à 350 °F (180 °C).

Goulash à la hongroise,
à la mijoteuse

Carré de porc à la moutarde

- 1 carré de 6 côtes de porc
- 3 gousses d'ail
- 1 ou 2 échalotes françaises
- 2 c. à soupe d'huile
- 1/2 c. à thé de thym séché

- 2 c. à soupe de moutarde de Dijon
- 2 c. à soupe de beurre, à température ambiante
- Sel et poivre

1. Pelez les gousses d'ail et coupez-les en quatre.

2. Émincez finement l'échalote et mélangez-la à l'huile dans un petit bol.

3. Faites de petites incisions dans la viande et glissez-y les éclats d'ail et l'échalote.

4. Mélangez le beurre, la moutarde et le thym et étendez cette pâte sur le carré de porc. Salez et poivrez.

5. Mettez la viande au réfrigérateur, dans un plat recouvert d'une pellicule plastique pendant 4 heures minimum, toute la nuit si vous le désirez.

6. Préchauffez le four à 450 °F (230 °C).

7. Mettez le carré dans un plat allant au four, la partie grasse sur le dessus. Faites-le saisir pendant 15 minutes.

8. Baissez le four à 350 °F (180 °C) et poursuivez la cuisson pendant 1 h 30.

9. Pour faire une sauce, dégraissez le plat de cuisson et ajoutez un peu d'eau (ou de vin rouge ou blanc). Laisse cuire sur le feu une ou deux minutes.

Carré de porc
à la mourtarde

Côtes de porc aux pommes

- 8 côtes de porc épaisses, avec ou sans os
- 8 pommes
- 8 oignons
- Sel et poivre

1. Pelez les pommes et les oignons. Tranches-les en 8 quartiers.

2. Tapissez le fond d'une cocotte des pommes et des oignons mélangés.

3. Disposez par-dessus les côtes de porc.

4. Salez et poivrez.

5. Couvrez et laissez cuire au four à 350 °F (180 °C) pendant environ 1 h 30.

Longe de porc au lait, pommes de terre fondantes

- 1 kg (2 lb) de longe de porc
- 2 c. à soupe de gras de canard
- 1 L (4 tasses) de lait
- 2 feuilles de sauge
- 2 ou 3 gousses d'ail
- Sel et poivre
- 12 pommes de terre

1. Dans une cocotte, faites revenir le porc dans le gras de canard.

2. Quand il est bien doré de tous les côtés, mouillez-le avec le lait jusqu'à mi-hauteur. Ajoutez les gousses d'ail épluchées et laissées entières et la sauge. Salez et poivrez. Laissez mijoter 45 minutes.

3. Pendant ce temps, pelez les pommes de terre.

4. Quand le rôti cuit depuis 45 minutes, ajoutez les pommes de terre, entières ou coupées en deux. Poursuivez la cuisson une demi-heure ou jusqu'à ce que les pommes de terre soient fondantes.

5. Coupez le rôti en tranches et servez-le, entouré des pommes de terre, nappé de la sauce que vous aurez laissé réduire.

Côtes de porc
aux pommes

Épaule de porc
à la coriandre

- 1 kg d'épaule de porc
- 2 oignons
- 2 gousses d'ail
- 3 branches de céleri
- 2 tomates

- Farine
- 3 cuillerées à soupe d'huile
- 1 c. à café de graines de coriandre
- 1 bouquet de coriandre

1. Coupez le porc en gros cubes.

2. Épluchez puis émincez les oignons, les gousses d'ail et le céleri.

3. Pelez et épépinez les tomates.

4. Passez les morceaux de porc dans la farine.

5. Chauffez l'huile dans une sauteuse.

6. Déposez-y les morceaux de porc et faites-les dorer de tous les côtés. Retirez-les.

7. Ajoutez les oignons, l'ail, le céleri et les graines de coriandre.

8. Faites blondir ces éléments à feu doux en les remuant à la cuillère de bois.

9. Lorsqu'ils sont dorés, ajoutez les tomates et la coriandrefraîche hachée.

10. Remettez les morceaux de porc dans la sauteuse et mélangez bien le tout. Salez et poivrez.

11. Laissez mijoter pendant 1 heure. Ajoutez un peu d'eau si besoin et rectifiez l'assaisonnement.

Épaule de porc
à la coriandre

Porc aux palourdes

- 1 kg de filet de porc
- 1 boîte de palourdes
- 4 pommes de terre
- 1/2 bouteille de vin blanc sec
- 4 gousses d'ail
- 2 c. à soupe d'huile d'olive
- 1 oignon
- 1 feuille de laurier

1. Couper le filet de porc en morceaux.

2. Faites chauffer l'huile et faites y revenir l'oignon et l'ail pressé.

3. Ajoutez les morceaux de porc et faites les dorer.

4. Versez le vin blanc et les palourdes avec leur jus. Salez et poivrez.

5. Laissez cuire à feu doux. Au bout de 45 minutes, ajoutez les pommes de terre, coupées en 4 et poursuivez la cuisson environ 1/2 heure.

Porc aux palourdes

Rôti de porc au cidre

- 1,5 kg de porc (longe ou épaule)
- 12 champignons de Paris
- 300 g de lard fumé
- 25 cl (250ml) de crème 35 %
- 1 c. à soupe de fécule de maïs
  ou de pomme de terre
- 1 bouteille de cidre demi-sec
- 1 échalote française
- Sel et poivre

1. Hachez l'échalote et faites-la revenir dans un peu de gras de canard ou d'huile. Lorsqu'elle est blondie, faites revenir le rôti sur toutes ses faces. Retirez-le et mettez-le de côté.

2. Faites revenir les lardons. Quand ils sont dorés, remettez le rôti dans la cocotte.

3. Versez le cidre. Comme le rôti doit en être recouvert, il est important de ne pas prendre une trop grande cocotte. Salez et poivrez.

4. Laissez cuire à feu doux pendant environ 1 heure.

5. Lorsque la viande cuit depuis une heure, ajoutez les champignons lavés et tranchés et poursuivez la cuisson pendant 1/2 heure.

6. Retirez le rôti de la casserole et liez la sauce avec la fécule et la crème.

7. Pour servir, tranchez le rôti et nappez-le de la sauce.

Rôti de porc au cidre

Rôti de porc au curcuma

- 1,5 kg (3 lb) d'épaule de porc
- 2 c. à soupe d'huile d'olive
- 2 oignons
- 4 gousses d'ail
- 1 piment fort

- 1 c. à thé de curcuma
- 6 tomates hachées
- 1 tasse de bouillon de poulet
- Sel et poivre

1. Couper le porc en morceaux.

2. Hachez les oignons grossièrement.

3. Faites chauffer l'huile dans une cocotte et ajoutez-y les gousses d'ail écrasées et le piment haché très vin. Faites dorer les morceaux de porcs. Ajoutez l'oignon et faites le blondir.

4. Ajoutez le curcuma et mélangez bien pour enrober les ingrédients.

5. Ajoutez les tomates et le bouillon (ou simplement de l'eau). Salez et poivrez.

6. Laissez mijoter à feu doux pendant 1 heure.

Rôti de porc
au curcuma

La volaille

Poulet à l'ail et au pastis

- Sel et poivre
- 1 poulet de grains de 1,5 kg (3 lb)
- 4 gousses d'ail, entières
- 3 c. à soupe de graines de fenouil, moulues
- 250 ml (1 tasse) de pastis
- Huile d'olive

1. Préchauffez le four à 400 °F (200 °C).

2. Saler et poivrer l'intérieur du poulet. Glissez les gousses d'ail à l'intérieur et parsemez l'extérieur de fenouil.

3. Arrosez de pastis et d'un filet d'huile. Salez et poivrez. Faites cuire le poulet au four pendant 1 h 30, arrosez de temps à autre de jus de cuisson.

4. Au moment de servir, découpez le poulet en morceaux et nappez-le de sauce.

Poulet à l'ail et au pastis

Poulets marinés et rôtis

- 250 ml (1 tasse) de moutarde de Dijon
- 125 ml (1/2 tasse) d'huile d'olive
- 125 ml (1/2 tasse) de persil haché
- 2 c. à soupe de thym

- 15 gousses d'ail, dégermées et écrasées
- 2 poulets d'environ 2 kg (4 lb) en tout, rincés et asséchés
- 6 tiges de romarin

1. **La veille du repas :** fouettez la moutarde de Dijon, l'huile, le persil et le thym. Incorporez l'ail. Badigeonnez-en les poulets (intérieur et extérieur). Déposez les poulets dans des assiettes en verre, couvrez-les et laissez-les mariner au réfrigérateur, minimum 5 heures, de préférence une nuit.

2. **Le jour du repas :** préchauffez le four à 400 °F (200 °C)

3. Avant cuisson, laissez la volaille à température ambiante une trentaine de minutes. Salez et poivrez (intérieur et extérieur), puis laissez à température ambiante 30 minutes.

4. Déposez les poulets sur une grille, dans une grande rôtissoire. Attachez les cuisses ensemble. Répartissez les tiges de romarin sur les poulets. Faites rôtir au four pendant 1 h 10, en arrosant de jus de cuisson de temps à autre ou jusqu'à ce qu'une brochette, plantée dans une cuisse, en fasse ressortir un jus clair.

Poulets marinés et rôtis

Poulet sur lit de ratatouille

- 1 poulet coupé en quatre (ou 2 cuisses et 2 poitrines, désossées)
- 1 c. à soupe de beurre
- 2 c. à soupe d'huile d'olive
- 2 oignons, hachés
- 3 gousses d'ail, dégermées et hachées
- 2 courgettes coupées en cubes
- 1 aubergine coupée en cubes
- 2 poivrons rouges, parés et coupés en cubes
- 115 g (1/4 lb) de prosciutto, coupé en lanières
- 250 ml (1 tasse) de vin blanc
- 2 tomates pelées, épépinées et coupées en morceaux
- Quelques feuilles de thym, hachées
- Sel et poivre du moulin
- Olives noires dénoyautées, conservées dans l'huile et égouttées

1. Dans une grande poêle, faites dorer le poulet, à feu moyen-élevé, dans le beurre et l'huile.

   Retirez la volaille de la poêle et réservez-la.

2. Dans la même poêle, faites revenir les oignons et l'ail. Ajoutez les courgettes, l'aubergine, les poivrons et le prosciutto. Laissez cuire 10 minutes, en remuant. Incorporez le vin, les tomates, le thym, le sel et le poivre.

3. Déposez le poulet sur la ratatouille. Portez à ébullition, couvrez, baissez le feu et laissez mijoter 25 minutes, 10 minutes avant la fin de la cuisson, incorporez les olives.

4. Pour le service, répartissez la ratatouille dans les assiettes et couronnez-la du poulet.

Poulet sur lit de ratatouille

Poulet
en pot-au-feu

- 1 poulet de 1,5 kg (3 lb)
- 2 c. à soupe d'huile d'olive
- 150 g (1/3 lb) de bacon, haché
- 1 kg (2 lb) de pommes de terre de grosseur moyenne (nouvelles de préférence)
- 1 c. à soupe de feuilles de thym, hachées
- 1 boîte de 796 ml (28 oz) de tomates, coupées en cubes
- 2 litres (8 tasses) de bouillon de poulet
- 1 blanc de poireau, tranché

1. Préchauffez le four à 375 °F (190 °C).

2. Sur feu élevé, déposez une grande casserole. Faites-y dorer le poulet dans l'huile. Retirez-le de la casserole et réservez-le.

3. Dans la même casserole, faites revenir le bacon. Ajoutez les pommes de terre, le thym et les tomates. Remuez, puis versez le bouillon. Remettez le poulet dans la casserole et portez à ébullition.

4. Couvrez et faites cuire le poulet au four 30 minutes. Découvrez-le et faites-le cuire 30 minutes.

   Ajoutez le poireau et laissez cuire 10 minutes.

5. Découpez le poulet.

6. Répartissez les légumes et le bouillon dans des bols de service. Déposez-y les morceaux de poulet.

Poulet en pot-au-feu

Poulet rôti, glace au sirop d'érable, à la sauce soya et au madère

- 65 ml (1/4 tasse) de sirop d'érable
- 1 c. à soupe de sauce soya
- 1 c. à soupe de vinaigre de riz
- 1 jet de sauce piquante
- 190 ml (3/4 tasse) de vin de madère
- 1 poulet de 2,5 kg (4 1/2 lb), rincé et asséché

- 2 c. à soupe de beurre
- Sel et poivre
- 1/2 orange coupée en quatre + 1 orange pour la garniture
- 2 grosses tranches de gingembre frais, pelé et écrasé
- 2 gousses d'ail, dégermées et écrasées

1. Préchauffez le four à 375 °F (190 °C).

2. **Glace :** fouetter le sirop d'érable, la sauce soya, le vinaigre de riz et la sauce piquante. Réservez.

3. Dans une petite casserole, faites mijoter le madère jusqu'à ce qu'il soit réduit à 125 ml (1/2 tasse).

4. À l'aide des doigts, soulevez la peau du poulet et enduisez la chair de beurre. Salez et poivrez. Badigeonnez de beurre l'extérieur du poulet.

5. Déposez le poulet dans une lèchefrite. Arroser du jus des quartiers d'orange et insérez ces quartiers dans la cavité, de même que le gingembre et l'ail. Repliez les ailes sous la volaille. Arrosez le poulet de madère.

6. Faites cuire le poulet 20 minutes. Versez 65 ml (1/4 tasse) d'eau dans la lèchefrite. Rôtissez le poulet 15 minutes, puis badigeonnez de glace, réservez le reste. Continuez de cuire le poulet 40 minutes ou jusqu'à ce qu'un thermomètre à viande, inséré dans la partie la plus charnue d'une cuisse, affiche 170 °F (80 °C) en glaçant le poulet toutes les 10 minutes. En fin de cuisson, inclinez le poulet dans la lèchefrite afin qu'il rendre son jus.

7. Déposez la volaille dans un plat de service et gardez au chaud sous une tente de papier d'aluminium.

8. Dégraissez le jus de cuisson et incorporez le reste de la glace. Déposez la lèchefrite sur 2 ronds de cuisinière et portez la sauce à ébullition. Versez dans une saucière.

9. Entourez ce poulet de quartiers d'oranges et servez-le avec du riz. Accompagnez d'un vin blanc sec.

Poulet rôti, glace au sirop d'érable,
à la sauce soya et au madère

Dinde rôtie, à la française

- 1 dinde de 24 kg (12 lb)
- Sel et poivre du moulin
- 1 tête d'ail, gousses séparées
- 4 tiges de thym
- 4 tiges de romarin
- 3 feuilles de laurier
- 3 c. à soupe de beurre fondu

1. Préchauffez le four à 325 °F (160 °C).

2. Rincez la dinde et asséchez-la. Coupez les ailes et réservez avec les abats. Salez et poivrez la volaille. Repliez la peau du cou sous la dinde et fixez-la à l'aide d'une petite brochette (attache-volaille).

3. Dans une lèchefrite, déposez les abats, l'ail, le thym, le romarin et les feuilles de laurier. Déposez-y la dinde et badigeonnez-la de beurre fondu. Faites-la rôtir de 3 h 00 à 3 h 30 ou jusqu'à ce qu'un thermomètre à viande, inséré dans une cuisse, affiche 180 °F (90 °C) et que le jus soit clair, arrosez quelques fois durant la cuisson.

4. Couvrez d'une tente de papier d'aluminium et laissez reposer la dinde 15 minutes avant de découper. Tamisez le jus de cuisson, dégraissez et servez en saucière.

Poulet rôti à l'espagnole

- Sel et poivre
- 1 poulet de 1,8 kg (4 lb)
- 1/2 bouteille de vin blanc espagnol, de type Rioja
- 5 c. à soupe de miel liquide
- Jus de 1 citron
- 1 1/2 c. à thé de cumin moulu
- 4 gousses d'ail, dégermées et écrasées

1. Préchauffez le four à 350 °F (180 °C).

2. Salez et poivrez l'intérieur du poulet. Attachez les cuisses à la partie centrale du poulet avec de la ficelle de cuisine. Déposez le poulet dans une rôtissoire.

3. Mélangez le miel, le jus de citron, le cumin moulu et l'ail. Saler et poivrer. Badigeonnez-en le poulet.

Faites-le rôtir au four 30 minutes, à mi-cuisson, badigeonnez-le de préparation au miel.

4. Versez le vin autour du poulet et cuisez-le 1 heure, badigeonnez-le de préparation au miel quelques fois durant la cuisson.

5. Retirez le poulet de la rôtissoire et laissez-le reposer une quinzaine de minutes, sous une tente de papier d'aluminium. Dégraissez le jus de cuisson et présentez-le en saucière.

Poulet et légumes rôtis, aux parfums de Provence

- 1 poulet de 1,5 kg (3 lb)
- 4 petits oignons rouges, coupés en quartiers
- 8 gousses d'ail, non pelées
- 6 feuilles de laurier
- 1 citron coupé en deux
- 4 c. à soupe d'huile d'olive
- Sel et poivre du moulin
- 4 tiges de romarin
- 2 poivrons rouges, parés et coupés en quartiers
- 3 courgettes, coupées en grosses tranches
- 500 g de pommes de terre de grosseur moyenne (de préférence nouvelles)

1. Préchauffez le four à 375 °F (190 °C).

2. Rincez le poulet (intérieur et extérieur) et asséchez-le. À l'intérieur, insérez un oignon rouge, 2 gousses d'ail, 2 feuilles de laurier et le citron.

3. Dans une lèchefrite, déposez la volaille. Badigeonnez d'huile, salez et poivrez. Disposez 4 feuilles de laurier sur le dessus et badigeonnez-les d'huile. Parsemez le poulet de quelques feuilles de romarin.

4. Dans un grand bol, mettez les poivrons rouges, les oignons rouges restants, les courgettes, les pommes de terre, les gousses d'ail restantes, 3 tiges de romarin, les feuilles de laurier restantes et 3 c. à soupe d'huile. Salez, poivrez et remuez. Disposez dans la lèchefrite, autour du poulet.

5. Faites rôtir au four de 1 h 00 à 1 h 15 ou jusqu'à ce que le jus de la volaille soit clair quand on perce une cuisse avec une brochette.

6. Retirez le poulet et les légumes de la lèchefrite et gardez au chaud, sous une tente de papier d'aluminium.

7. Dégraissez le jus de cuisson et versez celui-ci dans une saucière.

8. À l'aide d'une fourchette, écrasez chaque gousse d'ail pour en retirer la pulpe et incorporez-la aux légumes.

Poulet et légumes rôtis,
aux parfums de Provence

Pintade rôtie aux champignons, sauce crème

- 1 pintade
- 10 tranches de bacon
- 2 c. à thé de beurre
- 1 échalote sèche, hachée
- 250 ml (1 tasse) de bouillon de poulet
- 250 ml (1 tasse) de crème 15 %, à cuisson
- 2 c. à soupe d'estragon frais, haché

- Sel et poivre du moulin
- 250 g (1/2 lb) de champignons de Paris ou café, parés et tranchés
- 1 gousse d'ail, hachée
- 1 c. à soupe de persil, haché
- 1 c. à thé d'huile.

1. Enrobez la pintade de tranches de bacon. Fixez-les avec de la ficelle de cuisine. Dans une grande cocotte, sur feu moyen, faites revenir la pintade dans 1 c. à thé de beurre. Ajoutez l'échalote et faites-la dorer, en remuant.

2. Dans la cocotte, versez le bouillon et la crème. Incorporez l'estragon, le sel et le poivre. Portez à ébullition, baissez le feu et laissez mijoter 30 minutes.

3. Dans une poêle, faites sauter les champignons, l'ail et le persil dans 1 c. à thé d'huile jusqu'à ce que les champignons aient rendu leur eau. Ajoutez le beurre restant et faites-les dorer légèrement.

4. Dans la cocotte, retournez la pintade. Ajoutez les champignons, couvrez et laissez cuire 30 minutes ou jusqu'à ce que la pintade soit à point.

Pintade rôtie aux champignons,
sauce crème

Poulet aux figues

- 12 figues mûres
- 500 ml (2 tasses) de porto blanc
- 1 poulet de 1,5 kg (3 lb), coupé en morceaux
- 4 c. à soupe de beurre
- 4 échalotes sèches, hachées
- 1 c. à thé de grains de coriandre, moulus
- 4 gousses d'ail, dégermées et tranchées
- 1 tige de céleri, coupée en dés
- 1 grosse tomate mûre, pelée, épépinée et coupée en dés
- 125 ml (1/2 tasse) de bouillon de poulet
- 8 brins de ciboulette

1. La veille du repas, dans un contenant de verre ou en plastique avec couvercle, déposez les figues et versez le porto. Couvrez et réfrigérez.

2. Le jour du repas, faites dorer le poulet dans 2 c. à soupe de beurre. Retirez de la poêle et réservez.

3. Dans la même casserole, faites fondre les échalotes. Ajoutez la coriandre, l'ail, le céleri, la tomate, la moitié du porto de macération des figues, le poulet, le sel et le poivre. Couvrez, portez à ébullition, baissez le feu et laissez mijoter, à feu doux, 45 minutes. Retirez le poulet et réservez au chaud, sous une tente de papier d'aluminium.

4. Retirez les figues du liquide de macération.

5. Dans une petite casserole, faites réduire le reste du porto de macération jusqu'à l'obtention d'un sirop. Versez dans la casserole. Versez le bouillon et faites réduire à feu vif. Plongez-y les figues et enrobez-les de ce sirop. Retirez-les du liquide et égouttez-les.

6. Portez le sirop à ébullition. Ajoutez le beurre restant, 1 petit morceau à la fois, en fouettant jusqu'à émulsion. Remettez-y les morceaux de poulet et les figues. Vérifiez l'assaisonnement et incorporez la ciboulette.

7. Accompagnez de semoule ou de riz.

Poulet aux figues

Poulet à la pancetta, au vin blanc et à la crème

- 150 g (1/3 lb) d'échalotes sèches, hachées
- 4 gousses d'ail, dégermées et hachées
- 1 c. à thé + 1 c. à soupe de beurre
- 150 g (1/3 lb) de pancetta, coupée en lanières
- 1 poulet de 1,5 kg (3 lb)
- 1/2 bouteille de vin blanc
- 500 ml (2 tasses) de bouillon de poulet
- Bouquet garni : 1 tige de thym, 1 tige de persil et 1 feuille de laurier, attachées avec de la ficelle de cuisine
- 125 ml (1/2 tasse) de crème 35 %, à cuisson
- 1 bouquet de persil haché

1. Préchauffez le four à 325 °F (160 °C).

2. Dans une grande casserole, faites revenir les échalotes et l'ail dans 1 c. à thé de beurre. Ajoutez la pancetta et laissez-la cuire jusqu'à ce que les échalotes soient caramélisées.

3. Dans une grande poêle, faites dorer le poulet dans 1 c. à soupe de beurre. Déposez-le dans la casserole.

4. Dans la même poêle, versez le vin et portez-le à ébullition, en raclant le fond de la poêle avec une cuillère de bois pour en décoller les sucs de cuisson. Versez sur le poulet. Ajoutez le bouillon et le bouquet garni. Couvrez et faites cuire au four 1 heure ou jusqu'à ce que le poulet soit à point. Retirez le poulet de la casserole et coupez-le en portions. Gardez-le au chaud sous une tente de papier d'aluminium.

5. Retirez le bouquet garni du liquide de cuisson. Portez celui-ci à ébullition. Baissez le feu et laissez mijoter jusqu'à ce que le liquide ait réduit des deux tiers. Incorporez la crème et le persil haché. Réchauffez en remuant.

6. Répartissez les morceaux de poulet dans de grandes assiettes creuses, sur un lit de purée de pommes de terre. Nappez de sauce crème.

Poulet à la pancetta,
au vin blanc et à la crème

Poulet à la méditerranéenne

- 4 poitrines de poulet, désossées et sans peau
- 1 c. à soupe de beurre
- 1 c. à soupe d'huile d'olive
- 2 oignons hachés
- 1 gousse d'ail, dégermée et finement hachée
- 1 poivron rouge ou vert, paré et coupé en cubes

- 2 c. à soupe de concentré de tomates
- 2 c. à thé de moutarde de Dijon
- 250 ml (1 tasse) de bouillon de poulet
- 2 c. à soupe de vinaigre balsamique
- Poivre noir du moulin

1. Préchauffez le four à 250 °F (120 °C).

2. Dans une grande poêle épaisse, faites dorer le poulet dans le beurre et l'huile. Déposez dans un faitout.

3. Dans la même poêle, faites sauter les oignons, l'ail et le poivron. Ajoutez au poulet.

4. Mélangez le concentré de tomates, la moutarde de Dijon, le bouillon, le vinaigre et le poivre. Nappez le poulet de cette sauce.

5. Couvrez la casserole et laissez cuire au four 1 heure ou jusqu'à ce que le poulet soit à point.

6. Accompagnez de pâtes.

Poulet à la
méditerranéenne

Poulet aux olives et au balsamique, à la mijoteuse

- 1,75 Kg (3 1/2 lb) de morceaux de poulet (poitrines, pilons et cuisses) désossés
- 1 c. à soupe d'huile d'olive
- 1 gros oignon rouge, finement haché
- 5 gousses d'ail, dégermées et hachées
- 1 c. à thé de sel
- 1/2 c. à thé de grains de poivre, grossièrement moulus
- 1/2 c. à thé de thym séché
- 500 ml (2 tasses) de tomates, pelées et hachées
- 125 ml (1/2 tasse) de bouillon de poulet
- 2 c. à soupe de vinaigre balsamique
- 2 c. à soupe d'olives conservées dans l'huile, dénoyautées et hachées
- 2 c. à soupe de câpres
- Persil haché

1. Dans une grande poêle, faites dorer le poulet dans l'huile, à feu moyen-élevé. Déposez-le dans la mijoteuse.

2. Réduisez à feu moyen. Faites sauter l'oignon dans la poêle, en remuant, jusqu'à ce qu'il ait ramolli. Ajoutez l'ail, le sel, le poivre et le thym et laissez cuire 1 minute, en remuant. Ajoutez les tomates, le bouillon et le vinaigre. Portez à ébullition et versez sur le poulet. Ajoutez les olives et les câpres.

3. Couvrez la mijoteuse et laissez cuire : à basse intensité 5 heures ou à haute intensité 3 heures.

Note : Avant de servir, vérifiez toujours la cuisson.

   Et repartez la mijoteuse pour 30 minutes à 1 heure, si le mets n'est pas à votre goût.

4. Remuez et servez. Parsemez chaque portion de persil haché.

Poulet aux pommes en croûte de sel

- 1 gros poulet
- 1 kg de farine
- 500 g de gros sel
- 1 oignon
- 2 pommes
- 1 bouquet de thym
- Beurre
- Sel et poivre

1. Préchauffez le four à 350 °F (180 °C).

2. Pelez les pommes et coupez-les en quartiers. Épluchez l'oignon et émincez-le.

3. Salez et poivrez l'intérieur du poulet. Introduisez-y les pommes, l'oignon et le thym.

4. Dans un grand bol, mélangez la farine et le sel. Ajoutez 50 ml (1/4 tasse) d'eau froide. Pétrissez bien afin d'obtenir une pâte homogène.

5. Étalez la pâte sur une planche et déposez le poulet par-dessus. Ramenez les côtés de la pâte afin d'en recouvrir entièrement le poulet. Prenez bien soin que le poulet soit enveloppé de manière hermétique.

6. Enfournez et laissez cuire 1 h 30.

7. Sortez le poulet du four et brisez la croûte, qui sera devenue très dure.

Poulet aux olives et
au balsamique, à la mijoteuse

Poulet à l'alsacienne

- 190 ml (3/4 tasse) d'huile
- 16 échalotes sèches, pelées
- 6 carottes pelées et coupées en morceaux d'environ 5 cm (2 po)
- 4 tiges de céleri, coupées en morceaux d'environ 5 cm (2 po)
- 3 têtes d'ail, gousses séparées et pelées
- Sel et poivre du moulin
- 1 poulet de 2 kg (4 lb) rincé, asséché et cuisses attachées ensemble

- 6 tiges de thym (feuilles)
- 6 tiges de persil (feuilles)
- 3 tiges de romarin (feuilles)
- 2 c. à soupe de zeste de citron, râpé
- 15 prunes dénoyautées
- 1/2 petit chou, coupé en quatre
- 250 ml (1 tasse) de bouillon de poulet
- 125 ml (1/2 tasse) de Riesling

1. Préchauffez le four à 450 °F (230 °C).

2. Dans une grande poêle épaisse, faites chauffer 2 c. à soupe d'huile, sur feu moyen-élevé. Faites-y sauter les échalotes, les carottes, le céleri et l'ail. Salez et poivrez. Faites cuire jusqu'à ce que les légumes caramélisent légèrement. Retirez-les de la poêle et déposez-les dans un faitout, en les poussant vers les côtés.

3. Dans la poêle, faites chauffer 2 c. à soupe d'huile, sur feu moyen-élevé. Salez et poivrez le poulet et faites-le dorer dans l'huile.

4. Déposez-le dans le faitout, au centre des légumes. Parsemez d'herbes et de zeste de citron. Ajoutez les prunes et le chou.

5. Retirez le gras de la poêle. Versez le bouillon et le vin. Portez à ébullition, en remuant à la cuillère de bois pour décoller les sucs de cuisson. Versez cette sauce sur le poulet et les légumes, ainsi que le reste de l'huile.

6. Couvrez et laissez cuire 1 heure ou jusqu'à ce que le poulet et les légumes soient à point. Laissez reposer 10 minutes, à couvert.

7. Déposez le poulet dans une grande assiette de service. Entourez des légumes et des prunes. Vérifiez l'assaisonnement de la sauce et nappez-en le poulet.

Poulet à
l'alsacienne

179

Dinde de fête, à la française

Farce :
- 1 poitrine de poulet, désossée et sans peau
- 250 g (1/2 lb) de foie gras, en conserve
- 1 c. à thé de sel
- 2 blancs d'œufs, froids
- 250 ml (1 tasse) de crème 15 % à cuisson, froide

Dinde :
- 1 dinde de 8 à 10 lb (de préférence biologique)
- Sel et poivre noir, du moulin
- 250 g (1/2 lb) de beurre ramolli
- 500 ml (2 tasses) de bouillon de poulet

1. Préchauffez le four à 200 °F (100 °C).

2. **Farce :** coupez le poulet en cubes. Déposez dans un bol, couvrez et réfrigérez. Coupez le foie gras en cubes, déposez dans un grand bol, couvrez et réfrigérez. Ces ingrédients doivent être froids avant la préparation. Dans le bol du robot culinaire, déposez le poulet et le sel. Actionnez jusqu'à formation d'une pâte. Ajoutez les blancs d'œufs et actionnez jusqu'à homogénéité. Continuez d'actionner tout en versant la crème, jusqu'à homogénéité. À l'aide d'une spatule, incorporez au foie gras. Couvrez et réfrigérez jusqu'à ce que la préparation soit refroidie.

3. **Dinde :** Rincez et asséchez la dinde. Salez et poivrez l'intérieur et l'extérieur. Farcissez-la et bouchez-en les cavités à l'aide de petites brochettes (attache-volaille).

   Badigeonnez la volaille de beurre fondu et déposez-la sur une grille, posée dans une grande rôtissoire épaisse.

4. **Cuisson :** Déposez la rôtissoire sur la plus basse grille du four et laissez cuire la dinde 30 minutes. Montez le four à 250 °F (120 °C) et arrosez la dinde de jus de cuisson.

5. Continuez d'augmenter la chaleur du four de 50 degrés toutes les demi-heures, en arrosant chaque fois de jus de cuisson, durant 1 h 30. Puis, fixez la chaleur du four à 375 °F (190 °C), arrosez la volaille et faites-la dorer de 1 h 30 à 2 heures, en arrosant de temps à autre.

6. **Service :** Déposez la dinde dans un plateau et laissez reposer une quinzaine de minutes, sous une tente de papier d'aluminium. Dégraissez le jus de cuisson. Déposez la rôtissoire sur 2 ronds de cuisinière. Versez le bouillon et cuisez, à feu moyen, en grattant le fond avec une cuillère de bois, jusqu'à consistance de sauce. Salez, poivrez et gardez au chaud. Retirez la farce de la dinde et présentez dans un bol de service. Découpez la dinde. Présentez la sauce en saucière.

Poulet aux pommes

- 1 poulet
- 6 pommes
- 1 oignon
- 125 ml (1/4 tasse) de cidre
- 15 ml (1 c. à soupe) de crème 35 %
- 15 ml (1 c. à soupe) de beurre
- Sel et poivre

1. Préchauffez le four à 350 °F (180 °C).

2. Dans une cocotte allant au four, faites revenir le poulet dans le beurre afin qu'il soit doré sur toutes ses faces. Salez et poivrez. Retirez de la cocotte.

3. Pelez les pommes et coupez-les en tranches. Épluchez et hachez l'oignon.

4. Faites revenir l'oignon et les pommes.

5. Placez le poulet par-dessus.

6. Mouillez du cidre et laissez l'alcool s'évaporer quelques minutes.

7. Couvrez et enfournez pour 1 heure.

8. Ajoutez la crème et remettez au four 5 minutes.

Poulet aux pommes

Poulet aux tomates

- 1 poulet découpé en morceaux
- 2 oignons
- 2 gousses d'ail
- 250 ml (1 tasse) de vin rouge
- 30 ml (2 c. à soupe) de concentré de tomates

- 1 feuille de laurier
- 2 branches de thym frais
- Huile d'olive
- Sel et poivre

1. Épluchez et émincez les oignons. Épluchez et hachez finement les gousses d'ail.

2. Dans une cocotte à fond épais, faites dorer les morceaux de poulet sur toutes leurs faces. Puis, retirez de la cocotte et réservez.

3. Faites revenir les oignons et l'ail.

4. Remettez le poulet dans la cocotte. Mouillez du vin rouge.

5. Ajoutez le laurier, le thym et le concentré de tomates dilué dans un peu d'eau chaude. Salez et poivrez.

6. Couvrez et laissez mijoter à feu doux pendant 1 h 30.

Poulet aux tomates

Poulet chasseur

- 1 poulet détaillé en morceaux
- 3 échalotes grises
- 3 gousses d'ail
- 150 g (1/3 lb) de lardons fumés
- 250 ml (1 tasse) de vin rouge
- 250 ml (1 tasse) de bouillon de volaille
- 1 bouquet garni

- 300 g (9 oz) de champignons (de Paris, girolles, cèpes, portobellos… au choix !)
- 6 tomates italiennes
- Huile d'olive
- Quelques brins de persil
- Sel et poivre

1. Épluchez et émincez les oignons. Épluchez et hachez finement les gousses d'ail. Pelez et épépinez les tomates, puis coupez-les en dés. Ciselez le persil.

2. Dans une grande cocotte à fond épais, faites revenir les morceaux de poulet dans l'huile d'olive afin qu'ils dorent de tous les côtés.

3. Retirez les morceaux de poulet et faites revenir les oignons et l'ail.

4. Remettez le poulet dans la cocotte puis ajoutez les lardons.

5. Arrosez du vin et du bouillon de volaille.

6. Ajoutez le bouquet garni. Salez et poivrez. Portez à ébullition puis baissez à feu doux. Couvrez et laissez mijoter 1 heure.

7. Ajoutez les champignons et poursuivez la cuisson 20 minutes. Ajustez l'assaisonnement.

8. Avant de servir, parsemez de persil ciselé.

Poulet chasseur

Poulet rôti
au citron

- 1 poulet
- 4 gousses d'ail
- 1 oignon
- 1 branche de céleri
- 5 branches de thym frais

- 8 pommes de terre
- 1 citron
- Huile d'olive
- Sel et poivre

1. Préchauffez le four à 350 °F (180 °C).

2. Déposez le poulet dans un grand plat à rôtir. Épongez-le soigneusement.

3. Épluchez l'oignon et l'ail.

4. Salez et poivrez l'intérieur de la volaille. Introduisez l'oignon et l'ail laissés entiers, ainsi que 2 branches de thym.

5. Épluchez les pommes de terre et coupez-les en 8 quartiers. Déposez-les autour du poulet.

6. Pressez du citron. Arrosez le poulet et les pommes de terre du jus obtenu. Arrosez également d'un filet d'huile d'olive la volaille et les légumes. Parsemez du reste du thym. Salez et poivrez.

7. Enfournez et laissez cuire 2 heures.

Poulet rôti au citron

Poulet rôti au paprika

Yassa au poulet

Poulet rôti au paprika

- 1 poulet
- 10 ml (2 c. à café) de paprika
- 5 ml (1 c. à café) de cumin
- Sel
- Beurre
- Huile d'olive

1. Dans un grand bol, mélangez le paprika, le cumin et l'huile.

2. Enduisez le poulet de ce mélange et laissez mariner 2 heures.

3. Préchauffez le four à 350 °F (180 °C).

4. Placez le poulet dans un plat à rôtir. Salez généreusement. Parsemez de petites noisettes de beurre.

5. Enfournez et laissez cuire 1 heure ou jusqu'à tendreté.

Yassa au poulet

- 1 poulet découpé en morceaux
- 6 citrons verts
- 1 piment fort
- 5 oignons
- Huile de canola
- Sel et poivre

1. Le jour précédent, préparez une marinade avec le jus des citrons verts, l'huile de canola, les oignons émincés et le piment coupé en dés.

2. Faites mariner les morceaux de poulet dans la marinade pendant 12 heures.

3. Préchauffez le four à 400 °F (200 °C).

4. Épongez le poulet et placez-le dans un plat à rôtir. Salez et poivrez puis enfournez. Laissez cuire 45 minutes.

5. Pendant ce temps, égouttez les oignons. Réservez le liquide.

6. Dans une cocotte, faites dorer les oignons de la marinade dans l'huile de canola.

7. Ajoutez le liquide et les morceaux de poulet.. Couvrez et laissez mijoter à feu doux pendant 30 minutes.

Poulet rôti
au paprika

Le lapin

Lapin bistrot

• 57 g (1/2 tasse) de farine
1 lapin coupé en 6 morceaux
1 carré de lard salé de 15 cm (6 po), coupé en cubes
125 ml (1/2 tasse) d'huile d'olive
1 bouteille de vin blanc sec
3 têtes d'ail, non pelées
250 ml (1 tasse) de crème à 15 %, à cuisson, à température ambiante
Poivre noir du moulin (facultatif)

1. Mettez la farine et le lapin dans un sac de papier. Secouez pour enrober la viande de farine. Réservez-la.

2. Dans un faitout, faites dorer les lardons dans l'huile d'olive, à feu moyen-élevé. Retirez les lardons.

3. Dans la même casserole, faites dorer le lapin. Ajoutez le vin, les têtes d'ail et les lardons. Portez à ébullition et couvrez. Baissez le feu et laissez mijoter 1 heure ou jusqu'à tendreté. Retirez le lapin de la casserole et réservez au chaud, sous une tente de papier d'aluminium.

4. Dans un tamis, posé sur un bol, déposez les têtes d'ail. Pressez avec une cuillère de bois pour en retirez la pulpe. Nettoyez le tamis et tamisez-y la sauce. Remettez pulpe d'ail et sauce tamisée dans le faitout. Versez la crème. Faites bouillir quelques minutes, en fouettant jusqu'à homogénéité. Poivrez et servez.

Lapin bistro

Lapin au champagne

- 2 c. à soupe de beurre
- 1 c. à soupe d'huile
- 100 g (1/4 lb) de bacon, coupé en petits dés
- 8 oignons verts
- 1 lapin coupé en morceaux
- Sel et poivre noir du moulin
- 1/2 bouteille de champagne
- 250 g (1/2 lb) de petits champignons parés et sautés dans le beurre
- 1 c. à soupe de farine

1. Dans une cocotte, faites chauffer la moitié du beurre et l'huile. Faites-y sauter le bacon et les oignons. Retirez le bacon et les oignons de la cocotte. Réservez-les.

2. Dans la même cocotte, faites dorer le lapin. Remettez-y le bacon et les oignons. Salez et poivrez. Versez le champagne.

3. Couvrez et laissez mijoter 1 heure ou jusqu'à tendreté. Ajoutez les champignons et laissez cuire 15 minutes.

4. Dans un plat de service, disposez le lapin et sa garniture et gardez au chaud, sous une tente de papier d'aluminium.

5. Mélangez le reste du beurre avec la farine. Fouettez ce beurre manié dans la sauce pour l'épaissir. Après un bouillon, nappez le lapin de cette sauce et servez-le.

Lapin au champagne

Lexique

Barder

Envelopper une viande (généralement les rôtis, la volaille, les paupiettes et certains poissons) de minces tranches de lard. Ainsi protégée de la chaleur, la viande ne se dessèche pas. Barder, c'est aussi, quand on fait des braisés, disposer des tranches de lard dans le fond du plat.

Blanchir

Plonger des aliments crus dans de l'eau bouillante pendant un temps très court puis les rafraîchir et les égoutter, afin de raffermir (les carottes, par exemple) ou d'enlever l'âcreté (les rapinis, par exemple). On ne plonge pas les pommes de terre et les abats dans l'eau bouillante, mais dans l'eau froide que l'on porte à ébullition.

Braiser

Cuire à feu doux dans un récipient couvert, avec un peu de liquide (sauf si l'aliment contient lui-même du liquide), pendant une longue période. La viande à braiser est souvent un morceaux de deuxième catégorie qui, cuit autrement, serait dur. On commence par faire revenir les morceaux de viande, puis on ajoute des légumes et on mouille de vin, d'eau, de bouillon, de jus de tomate, etc.

Brunoise

Légumes coupés en très petits dés servant de garniture pour certains potages ou certaines sauces.

Ciseler

Pour les légumes et les fines herbes : tailler en tout petits morceaux, en fines lanières ou en dés minuscules.

Déglacer

Faire dissoudre les sucs de viande caramélisés avec un liquide (vin, bouillon, eau), ajouté en petites quantités à la fois. Les sucs se caramélisent dans le fond du récipient sous l'effet de la chaleur. Il faut ensuite laisser réduire afin d'obtenir la consistance de sauce désirée puis, selon le cas, passer au chinois.

Dégraisser

Enlever l'excès de graisse. On enlève la graisse de la viande à cru, avec un petit couteau conçu à cet effet. On dégraisse la soupe en enlevant la graisse qui se forme à la surface lorsqu'elle refroidit.

Désosser

Enlever les os d'un morceau de viande. Opération généralement faite par le boucher: il est donc important de lui préciser que vous désirez une viande désossée.

Émincer

Détailler en fines lamelles, en tranches ou en rondelles d'égale épaisseur.

Étuver

Cuire un aliment à couvert, à feu doux, dans sa propre eau de végétation.

Gratiner

Mettre un plat sous le gril du four afin qu'à la surface se forme une mince croûte dorée.

Mariner

Mettre une viande à tremper plusieurs heures dans un liquide, souvent un mélange de vin et d'aromates, afin de l'attendrir et de la parfumer.

Mijoter (ou mitonner)

Faire cuire lentement, à feu doux, afin d'attendrir des viandes.

Saisir

Mettre un aliment dans un récipient contenant un corps gras (de l'huile ou du beurre) afin de faire coaguler la couche extérieure.

Sauter

Faire cuire à feu vif dans un corps gras, à découvert et sans liquide.

Index

A

Agneau à l'aubergine 40
Agneau à la grecque 42
Agneau aux fruits secs 44
Agneau aux herbes fraîches 48
Agneau aux petits pois 45
Agneau aux poivrons 46
Agneau bouilli 48
Agneau braisé 49
Agneau du Devonshire 50
Agneau fondant aux pommes de terre 39

B

Beakehoff 146
Blanquette de veau 128
Boeuf à la Guiness 100
Boeuf à la mode 88
Boeuf au chou 90
Boeuf au porto 76
Boeuf aux poivrons 104
Boeuf bouilli 91
Boeuf bourguignon 94
Boeuf braisé au vin rouge et aux légumes 80
Boeuf braisé aux aromates 92
Boeuf garni de haricots verts à la mijoteuse 83
Boeuf miroton 96

C

Cannellonis farcis aux épinards et à la ricotta 26
Cari d'agneau 54
Carré de porc à la moutarde 148
Casserole boeuf et légumes 78
Choucroute à l'alsacienne 143
Cigares au chou 82
Cochon de lait, rôti au four 144
Confit de tomates 22
Côtes de porc aux pommes 150

D

Daube de boeuf aux carottes 96

Daube de porc 140
Dinde de fête, à la française 180
Dinde rôtie, à la française 166

E

Épaule d'agneau Daniela 72
Épaule de porc à la coriandre 152
Escalopes de veau farcies 121

F

Fèves au bacon et au sirop d'érable 134
Filet de boeuf aux shitakés 98
Filet de porc à la chinoise 142

G

Gigot à l'écossaise 54
Gigot à la charmoula 56
Gigot à la gremolata 58
Gigot au citronet à l'ail 59
Gigot au sirop d'érable 60
Gigot aux 40 gousses d'ail 52
Gigot de sept heures aux haricots blancs 62
Gigot rôti à la marocaine 64
Goulash à la hongroise, à la mijoteuse 146
Gratin d'endives 33
Gratin dauphinois 32
Gratin de pommes de terre aux deux champignons 28
Gratin de pommes de terre, champignons portobello et artichauts 24

H

Haricots blancs aux champignons, à l'italienne 34

J

Jarret de boeuf à la tomate 104
Jarret de veau à la tunisienne 126
Jarrets de veau aux tomates en cocotte, garniture de gremolata 118

L

Lapin au champagne 192
Lapin bistrot 191
Lasagne au pesto 30
Longe de porc au lait, pommes de terre fondantes 150

Index

M

Méchoui 65

Mijoté de veau à la provençale 122

N

Navarin d'agneau 66

O

Osso bucco d'Elena 130

P

Pain de viande d'agneau 68

Pain de viande en croûte 136

Pintade rôtie aux champignons, sauce crème 168

Poitrine d'agneau farcie 70

Porc 24 heures 133

Porc aux palourdes 154

Porc en sauce aux pommes, au fenouil et au vin blanc ...138

Potage aux asperges 14

Potage de tomates et basilic à l'italienne, à la mijoteuse ...12

Pot-au-feu 102

Pot-au-feu au vin rouge et aux porcini 86

Poulet à la méditerranéenne 174

Poulet à la pancetta, au vin blanc et à la crème 172

Poulet à l'ail et au pastis 159

Poulet à l'alsacienne 178

Poulet aux figues 170

Poulet aux olives et au balsamique, à la mijoteuse ...176

Poulet aux pommes 181

Poulet aux pommes en croûte de sel 176

Poulet aux tomates 182

Poulet chasseur 184

Poulet en pot-au-feu 163

Poulet et légumes rôtis, aux parfums de Provence ...167

Poulet rôti à l'espagnole 166

Poulet rôti au citron 186

Poulet rôti au paprika 188

Poulet rôti, glace au sirop d'érable, à la sauce soya et au madère ...164

Poulet sur lit de ratatouille 162

Poulets marinés et rôtis 160

R

Ragoût d'agneau à la scarole 71

Ragoût de porc au céleri-rave et à l'orange 134

Ragoût de veau aux porcini, au romarin et à la crème ...116

Ragoût de veau, à l'italienne 120

Rôti de bœuf au thym et à l'ail 87

Rôti de porc au cidre 155

Rôti de porc au curcuma 156

Rôti de porc aux abricots 138

Roulades de bœuf aux champignons 84

Roulé de veau aux pistaches 107

S

Sauce tomate ....

Sauté de veau à la méditerranéenne 124

Soupe aux haricots blancs et aux légumes, à la grecque ...17

Soupe d'agneau aux pois chiches 18

Soupe de poisson, de maïs et de pommes de terre,
à l'américaine, à la mijoteuse 16

Soupe de veau aux navets 20

Spaghettis en sauce aux trois viandes 136

T

Tajine au miel 74

Tomates farcies au riz, à l'italienne 36

V

Veau à l'italienne, à la mijoteuse 118

Veau à la marocaine 112

Veau aux citrons 124

Veau aux herbes et à la crème 108

Veau aux légumes 114

Veau aux poivrons multicolores, à l'italienne 122

Veau braisé au citron et aux pignons, sauce au vin blanc ...114

Veau farci aux kumquats 110

Vitello tonnato 120

Y

Yassa au poulet 188